営業マンは「お願い」するな！

加賀田 晃
Kagata Akira

サンマーク出版

営業とは、

自分がよいと信じた物を
相手のために
断りきれない状態にして
売ってあげる
誘導の芸術である。

セミナー受講生が見た加賀田晃とは――

〝契約率九九％の「営業の神様」〟――。

これをにわかにうのみにできる人は、この世にどれほどいるでしょうか。

九九％の確率で売るということは、百人と話して九十九人に売るということです。

しかも、加賀田晃は再訪を絶対しない。すべて初対面即決で売るという。

三軒訪問して三件とるということはまれにあります。しかし、百軒も訪問すれば、外出寸前の人、昼食の準備中の人、経済的に余裕がまったくない人、すでに同じようなものを所有している人など顧客の対象になりえない人は無数にいます。

そういう人たちもひっくるめて、百人中九十九人に売れるという話は〝虚言〟以外の何ものでもないでしょう。

私は、その虚像を暴くべくパソコンで「加賀田晃」と検索しました。その瞬間、目が点になった。売り上げが二倍になった。五倍になった。トップになった。加賀田は鉄人だ。達人だ。日本一のスーパースターだ。加賀田の昔書いた非売品の教本を一万円で売ります。家を教えてくれたら謝礼します——。

虚像にしては、加賀田を否定する書き込みは「自慢が多い」といったぐらいで、あとは肯定と賛美のてんこ盛り。しかし、私はこれだけではまだ得心がいかない。世の中には、人がいいのか、だまされやすい人、真実を見抜けない人は多いものだ——。

そんな気持ちを抱いたまま、私は、加賀田晃の最初にして最後の一般公開セミナーとやらに出かけていきました。

一回目で、コロリとまいった。

二回目は、母まで連れていった。

ある日のフリーディスカッションの時間に、「先生、売れずに困っています。うちの○○商品の売り方、一言一句教えていただけませんか?」と厚かましいお願いをするどこかの社長さんがいました。

会場には、北は北海道から南は沖縄まで、千差万別の人がいます。学生さんや主婦の方、公認会計士に音楽家、学校の教員や病院の先生、もちろん営業マンも業種さまざま、そのなかで、自分のためだけに一語一句のトークまで教えてくれというのです。

加賀田はどう答えるのか。

「いいですよ。それはどんな商品ですか。他社のとどう違うんですか」とあっさり了解。しかも聞いたのはたったこれだけ。時間にして約一分間。それからは競走馬がゲートからいっせいに飛び出すようにして、ゴール目がけてしゃべりまくります。

拍手の嵐《あらし》！　お墓の売り方を教えてください、インターネットでの広告の取り方を、オール電化を、マンションの売り方を……堰《せき》を切ったようにお願いの声が上がる。

いずれも加賀田はためらわない。おそらく加賀田の辞書には「躊躇《ちゅうちょ》」「不可能」という文字が存在しないのでしょう。またもや一分間から、長くとも三分程度のヒアリングで一気にクロージングまでしゃべりつづけます。

その迫力、その自信、思わずわが膝《ひざ》をポンとたたきたくなるような巧みな伏線の張り方。言質《げんち》の取り方、そして最後は「どうですか?」とも「これが絶対いいですよ」とも言わない。「○○さんでしたら、これとこれでは、どちらかといいますと、どちらのほうがいいなあ～と思われますでしょうか?」と、思わず「こっち」と言わせてしまう誘導の妙技。神業だ。参加者が異口同音に言います。これなら売れる。だれでも買う。おれでも買う。神業だ。これで断れるやつは世界に一人もおらん——。

私も、最後尾の席から手をあげました。

「先生、生保でも即決で売れますか？　保険の場合は、これこれといった手順があって、即決では絶対に売れないんですが、大丈夫でしょうか？」

「もちろん！　常識クソクラエ、何回も通ってとれるなら、即決ならもっととれる」

結論！　奇跡というものは、あるものだ——。

私はいま、再訪をまったくしない。すべて初対面即決でとる。しかも、契約率はここに書くこともはばかれるほど、高確率でとります。

私はいいたい。加賀田の十八番。

わかりゃ〜、営業なんて簡単……。

生命保険代理店　有限会社キューーボー代表取締役　久保　龍太郎

はじめに

人生とは「何か？」と問うところから、すべてが始まる。

仕事とは何なのか、幸せとは何か、結婚とは、友人とは、はたまた営業とは――。

自分なりの〝答え〟をもっていないと、ややもすると、その人の生き方は場当たり的となり、あちらにコツン、こちらにコツンと壁に当たったり、転んだり、ときには袋小路に入り込んだり、窮することの多い人生となる。


私は思うところあって、昭和六十年からセールス教育を始めました。

最初は手書きの案内文をコピーして、自転車に乗り、ビルの一階にある集合ポストに配って回りました。そして帰ってきたら、一件注文が入っていた。この会社は一日研修でしたが、翌月総売り上げが二倍になるという好スタートとなりました。その後もほとんどの企業で売り上げ倍増は日常茶飯事となり、約半年後「東京でやりませんか？　東京に会社を構えて熱海か鎌倉にでも研修センターを建てて……費用は全部こちらで出します」というありがたい申し出を受け、用意された新宿の超高層ビル街のマンションに引っ越しました。

そして〝セールス学校〟をつくるにあたり、沈思黙考、「セールス」について考えてみました。

どうして自分は売れたのか、なぜほかの人は売れないのか、何と何を覚えたら売れるのか、百戦百勝いかなる相手をも落とすために必要な要件とは何なのか？　思案の末、それを一冊の教本にまとめました。

それらもふまえて、いまから営業というものをじっくり紐解《ひもと》いていきたいと思いますが、まずは何と何を覚えたら売れるのかという、「何」からご紹介しましょう。

それは次の六つです。

一、哲学編
一、礼儀編
一、話し方編
一、セオリー編

一、技術編
一、極意編

これらの六つをひと通り覚えていただいたら、いかなる商品も思うがままに売れるでしょう。

それでは「哲学編」から順に、それぞれの意味を簡単に説明しましょう。


まずは「**哲学編**」。

先にも述べたように、すべてはどういう姿勢でそれに挑むかという、考え方で決まる。

どう考えたら売れるのか？　どう考えることがもっとも現実的、賢明なのかという考え方——。


次は「**礼儀編**」。

人と接する仕事のなかで、いちばん重要なのはやる気ではない。商品ではない。口ではない。いちばん大事なのは目の前の相手を、この上なく敬い、尊重する〝礼儀〟である。

その相手を敬う心、態度、言葉遣いとは――。

続いて「**話し方編**」。

営業とは話す仕事であるが、ほとんどの人や企業はその話し方を知らない。

どう話せば、相手は瞬時に耳を傾けるのか？　抵抗力が失せるのか？　サインするのか――。

四つ目の「**セオリー編**」。

技術をともなう行為については、それを成功させるための法則、セオリーというものが必ずある。

ならば営業の場合の実践、アプローチからクロージングまでのセオリーとは――。

さらには「**技術編**」。

世の中は残念ながら、誠意だけでは、ものごとは成就しない。そこにはさまざまなテクニックが要求される。インターフォンやアプローチを突破するテクニック、テレアポのテクニック……。

もっとも要求されるテクニックとは、抵抗を前もって封じ込めるテクニックと、万が一にも抵抗された場合は、それを瞬時に、こっぱ微塵《みじん》に粉砕できるテクニックである——。

最後の「**極意編**」。

極意とは字のごとく、その道を極める術である。

その道を極めるということは、一般の常識や限界を超えるということであり、それはとりもなおさず営業の場合は、いかなる相手をも百発百中で落とす術ということである——。

以上が、営業を極めるための六つの必須《ひっす》カリキュラム。

この本では紙面の都合上、これらの六つを等しく広く深く掘り下げるには及びませんでしたが、ここにご紹介させていただいたことを、そのまま実行していただけるのなら、おそらくあなたの営業人生は、あしたから〝バラ色の人生〟に一変するでしょう——。

加賀田　晃

目次

◆セミナー受講生が見た加賀田晃とは—— 2
◆はじめに 6

第1章 営業とは「売ってあげる」仕事である——哲学編

◆営業マンの運命を分けるのは、「考え方」である 22
◆「営業とは何か」 25
◆自分がよいと信じた物を——「自分が売ろうとする〝商品〟に自信はあるか?」 26
◆相手のために——幸せになりたいなら、先に相手を満たすこと 31
◆断りきれない状態にして——お客が断るのは「いらないから」ではない 36
◆「売ってあげる」——営業マンは「幸せを運ぶ青い鳥」になるべし 38
◆誘導の芸術である——営業とは、究極には何か? 43
◆お客に納得してもらう必要はない 44

45 ◈ 相手に「気づかせる」ために質問せよ
47 ◈ 営業のセオリーが理解できれば、日にちはいらない

第2章　即決させる営業——セオリー編

50 ◈ 加賀田式「対人折衝のセオリー」

（1）アプローチ

51 ◈ アプローチこそ営業の命
53 ◈ 感じのいい営業マンに「ノー」と言うのはむずかしい
55 ◈ 「効果」があるほうがいつも正しい
60 ◈ アプローチで絶対に断らせないトーク術
62 ◈ 一方的にしゃべるのは逆効果である
63 ◈ 法人営業のアプローチ突破方法
67 ◈ 一般家庭のアプローチ突破方法
69 ◈ インターフォン突破法・正攻法

72 インターフォンは壊れていると思いなさい
75 テレアポの突破方法
81 アプローチを成功させるためのスタンバイ
82 営業前の「スタンバイ」で自分のメンタルを整えよ
83 特許をとりたいほど強力なスタンバイ三か条

(2) 人間関係

89 将を射んと欲すればまず馬を射よ
90 人はみな〝重要感〟に飢えている
92 見るもの、聞くもの、ふれるもの、すべてを利用すべし
94 人間の「服従快感」を刺激して抵抗力をなくせ
95 ほめるよりも「質問」しなさい
98 人間関係トーク① 玄関の置物をほめる
100 人間関係トーク② 子どもの話をする
102 人間関係トーク③ 腕時計をほめる
106 人間関係トーク④ サクセスストーリーを聞く

108 ◈ 手相・人相でお客との距離を一気に縮める

(3) 必要性

111 ◈ 商品説明を急ぐな!
112 ◈ お客に〝喜びと恐怖〟を与えよ
116 ◈ お客に〝喜びと恐怖〟を与えるトーク例
118 ◈ プラスとマイナスでストーリーをつくる
119 ◈ 必要性を話すまでカタログは出さない
120 ◈ 商談ではノートを活用しよう

(4) 商品説明

121 ◈ 売れない営業マンほど商品説明が長い
124 ◈ 事実ではなく「意味」を説明せよ
126 ◈ カタログは営業マンが見るためのものではない
127 ◈ 商品説明の前に「言質」をとれ

(5) テストクロージング

129 ◈ 「いかがでしょう?」とは絶対に言うな!

131 ◆ 買うことを前提に、二者択一で誘導せよ
134 ◆ いろいろなパターンの二者択一例
136 ◆ テストクロージングで「決めつけ」はご法度
137 ◆ やさしいテストクロージングから核心のテストクロージングへ
(6) クロージング
139 ◆ クロージングは「加賀田式」の最終兵器
140 ◆ 興奮して話す相手に「ノー」とは言えない
142 ◆ 「興奮が足りなかった」一〇〇%神話のストップ
146 ◆ 興奮がなければ〝ただの人〟

第3章　抵抗は真に受けるな —— 抵抗切り返し編

150 ◆ お客の抵抗は真に受けるな
152 ◆ 相手の言葉のプラスとマイナスを考えよ
153 ◆ 切り返しトーク①「忙しい」

155 ◈ 切り返しトーク②「お金がない」
156 ◈ 切り返しトーク③「値引きして」
157 ◈ 切り返しトーク④「すでに他社と取引がある」
158 ◈ 切り返しトーク⑤「知り合いがいる」
159 ◈ 切り返しトーク⑥「考えておく」
161 ◈ サービス品はここぞの場面で使え
164 ◈ ファミリー客を相手にするなら〝棒つき飴〟は必需品
166 ◈ いまでも覚えている「完全無欠」の抵抗
167 ◈ イエス・バット方式で話すと一気に抵抗を切り崩せる
171 ◈ 営業マンの使命を果たすために、
あえてイエス・バットを捨てるという選択もある
173 ◈ 商品のマイナスは伝えるべきか否か
177 ◈「失礼ですが」と一言添えるだけで、お客の反応は一八〇度変わる
178 ◈「ちょっと」「あっ」に込められた魔法の効果とは?

第4章　相手を意のままにあやつる――極意編

182 ◈ 相手を意のままにあやつる極意とは？

(1) 愛対意識

184 ◈ 対「人」関係が円滑になれば、満ち足りた人生になる
185 ◈ 人間は自分がいちばん大事、しかしものごとには順番がある
188 ◈ 相手を「好き！」と思い込んで話せ
190 ◈ 「愛対意識」のない営業に客がつくことはありえない
192 ◈ 自分のために売るのは邪道、やましさがないから自信をもって営業できる
193 ◈ 「愛対意識」があれば部下の指導もうまくいく

(2) 当然意識

195 ◈ 「当然意識」を会得した者がスーパースターになれる
196 ◈ 目的のあることは当然のごとく話し、ふるまえ
197 ◈ 人は必ず「暗示」によってのみ行動する
200 ◈ 品よく、さりげなく断定すれば相手は「暗示」にかかる

202 「当然意識」で〝立ち話〟を回避する
204 自然にふるまってお客から「許可」をとれ
206 お客の抵抗は「気にせんでください！」と断定すべし
207 「当然意識」でふるまえば契約締結も思いのまま

(3) 不諦意識

210 最後の切り札――「不諦意識」
211 何も売らずに帰ることこそ無礼千万と思え
215 あきらめるのは、あきらめないと決めていないから
217 「あなたの熱心さには負けた」
221 モノを売るのはすべて相手の幸福のため
227 人間は習慣の奴隷である

230 おわりに

装丁●渡辺弘之
本文組版●染谷盛一（アートマン）
構成●コンセプト21
編集協力●逍遙舎
編集●黒川可奈子（サンマーク出版）

第1章

営業とは「売ってあげる」仕事である

――哲学編

営業マンの運命を分けるのは、「考え方」である

アフリカに靴を売りに来たセールスマンが、現地の人が裸足《はだし》で歩いているのを見て、一人は言った。「とんでもないところに来た。これは売れん」。ところがもう一人は、「チャンスだ！　みんなに売れる！」と言った……。

この逸話は有名な話ですが、人生とはおもしろいもので、同じ場所で同じことをしていても、ある人は売れるし、ある人は売れない。ある人は成功するし、ある人は失敗する。**その運命を分けるのは、まず十中八九はその人の考え方である――**。

さて、その考え方ですが、諸外国ではどうなっているのかは知る由もありませんが、日本の営業の場合は目を覆いたくなるほどメチャクチャです。

会社に入ったら、「当分は先輩について覚えなさい」これだけです。

考え方も教えなければ、話し方も教えない。

第一、その先輩がまったく売れない。ハエでも追っ払うように断られる様を見て、営業とはこんなもんだと、誤った認識をもつ。そして先輩のお手本どおり、「○○社

ですけれども……」「けっこうです！」、「○○商品の紹介に回ってます……」「けっこうです！」と永遠のご用聞きと化す——。

営業という仕事は、かくのごとく次元の低い「話、聞いてもらえませんか……」「この商品いかがですか……」と聞いて回る仕事ではないし、売らんがために、気の弱い人や老人を探して回る仕事でもないし、詐欺っぽい引っかけトークで相手を陥れる仕事でもない。

それでは、本来営業という仕事は、どういう仕事なのでしょうか？　どう考え、どうすればすべての人から受け入れられ、果てしなく売れるのか？　まずは営業という仕事の〝仕事〟の部分から思いをめぐらせてみよう——。

働くとは、「傍《はた》を楽《らく》にするのが仕事」だと、うまい語呂《ごろ》合わせを説いた人がいましたが、まさにこれである。この解釈には、寸分の異存もありません。

食堂も、洋品店も、病院も、ホテルも、空港も、世のあらゆるお店、あらゆる職業は相手のお役に立つことで成り立っています（役に立たずに収入を得るのは、恵んでもらう場合か、犯罪の場合だけでしょう)。

相手の役に立つということは、相手のメリットになること、相手が得をすること、ひっくるめて相手の幸福に貢献することだともいえます。

営業マンの場合は、この商品をすすめてあげたら、このお客にどういうメリットがあるか、使わなかったときと比べてどれほど安全か、快適か、幸福につながるかを教えてあげる、気づかせてあげる、そして使うように踏ん切りをつけさせてあげる。

いうならば営業とは〝幸福〟を売る仕事であり、あなたはその運搬人〝青い鳥〟である。

もしあなたが、売ろう売ろうと考える卑しい物売りならば、だれからも疎んじられ簡単に断られる。

もしあなたが、相手の幸福だけを考える〝愛のある営業マン〟ならば、だれからも歓迎され、より多くの人を幸福にすることで、その結果としてあなたも幸福な一生を送ることとなる——。

どうですか？　これからは「売れるかな？　売れないかな？　売れなかったらどうしよう……」こんな愚にもつかないことを考えるのはやめて、「これを売ってあげたら、相手にどういうメリットがあるか」と考え、そのメリットの数を、頭をフル回転させて訴える、そんな営業マンになってみませんか？

売れるか売れないか？　それは後のこと、気にしない、気にしない……。

次は〝営業〟の部分をもっとみていきましょう。

どう考えたら売れるのか！

もちろん、何にしてもそれに対する答えは幾通りもあるでしょうが、私が過去を振り返って「これだ！」とまとめた、営業に対する考え方、〝哲学編〟の結論は、次の五行です。

「営業とは何か」

営業とは、

自分がよいと信じた物を

相手のために
断りきれない状態にして
売ってあげる
誘導の芸術である。

これは、どういう意味なのか？

一行目から順番に説明しましょう。

自分がよいと信じた物を――
「自分が売ろうとする〝商品〟に自信はあるか？」

右のように、セミナーのときによく質問をします。

ほとんどの人は一瞬とまどいを見せる。挙手を求めると、「ある」が一割、「ない」が二割、「どちらともいえない」が七割となる。

私は言う「あほう！」と。

自信のない商品がなんで売れるのか、あるいは、いいとも悪いとも判断のつかない商品をどう説明するのか——。

こんなことがありました。平成三年といえば日本史に残るバブル崩壊のころ。日本は大不況となりました。真っ先に倒産したのはこの世の春をもっとも謳歌《おうか》していたハウスメーカーであり、それを建てたゼネコン。その年から売れ残り住宅、マンションの販売依頼が来るわ、来るわ——。

一件目からご紹介しましょう。

それは西日本最大といわれた敷地三万坪の会社でした。銀行さんからのおすすめで、それじゃあ、ということではじめて建てたマンションがバブルの崩壊により三か月で一戸も売れず、顧問の私に「ぜひ指導を……」ということになったのです。

さっそく販売事務所に出向いたところ、販売を委託していた販売代理会社の部長が、私の名刺をしまう間もなくのたもうた——。

「ここは売れません。前の道路が狭いです。隣がパン工場です。突き当たりは川です。駅に行くのに信号はありますが、横断歩道を渡らないかんので危ないです。はじめてのマンションですので知名度がありません。バブルが弾けてまわりはみんな値下げしたのに、この会社の社長は素人で、私たちがいくら言っても下げません。だから売れません」

私はこの部長に表彰状をあげたい。

あなたは、〝売れない口実ばかりを探す〟マイナス思考の世界チャンピオンです、と――。

私は部長の言葉を聞き流して、まずは自分で売ってみることにしました。生まれてはじめてマンションを売ることに胸が高鳴りました。商品のことも頭金のことも金利の計算方法も何もわからないが、そんなことは屁《へ》でもない。相手も知らないのだ――。

結局、興味本位の冷やかし客も含めて土、日で十組接客し、即日十組から申し込み金をいただき、その六日後までにすべての契約を終えました。

こんな売りやすいものが、なぜ三か月に一戸も売れないのか。

それは営業力云々《うんぬん》の前に、この人たちのマイナスをマイナスと見るマイナス思考のせいでしょう。

この地球では、世界の人口六十四億人が総欠点だらけの人間であり、その不完全な人間が製造した商品は、満点の商品は一品もなく、そういう意味ではこれまた総欠点だらけの商品です。

完全無欠の商品は絶対に存在しないという事実、それを現実のものとして受け入れ、欠点はあったにしてもそれをはるかに超える長所の価値に心から共感できるのであれば、考えようではその商品はその人にとって日本一自信のもてる商品となる――。

どちらにしても、変わらないものや決まったものに対して、そのマイナスをあげつらうことは何の益にも解決にもなりません。

もしも、そういう場合にマイナスは歯牙《しが》にもかけずプラスだけを愛することができたら、人生が、営業がどんなに楽しくなるか、あなたに想像いただけるだろうか――。

二例目をご紹介しましょう。

それは福岡市最西端にあり、後方は見渡すかぎりの山、前方は海、買い物の便はなしという物件で、売り出し後一年間経過するも、売れたのはたった五戸で、とうとう販売も工事も断念し、放置されたままのマンションでした。

そこの社員が、私を案内しながらひとり言のようにつぶやく「なんでこんなところに建てたんでしょうかね……」。

私はこのマンションをたてつづけに二十七戸売り、サラリーマンの平均年収十年分に匹敵する報酬をいただきました。

買い物の便が悪いというマイナスを除けば、駅まで遠いのも足腰の鍛錬になるし、通勤に時間がかかるというのも、またとない読書のチャンスとなるし、あとは自然の宝庫で眺めはいい、空気はきれい、田んぼや小川があり、マイナスイオンに包まれ仕事の疲れもたちまち癒《いや》され、かつ子どもの教育のためにも申し分がない。

私は来場者全員に聞いた「自然はお好きですか？」。全員が答えた「はい！」と。

ある大手の課長さんは部下を二人も紹介してくれ、ポルシェで乗りつけた弁護士さんは、自分たちの分と、その女性の母親の分まで契約しました。

もう一度あなたにいいたい。変えられないものと決まったもの、もしくは自分で決めたものについてはマイナス（寒いとか、暑いとか、上司や会社が気に入らんとか、商品がどうとか）はいっさい口にせず、プラス（いいところ）だけを心から愛するようになさいませんか？

そうすれば、少年時代のように何をするのも楽しく、すべてのものに興味と意欲がもてて、もちろん商品も果てしなく売れつづけるでしょう――。

相手のために――幸せになりたいなら、先に相手を満たすこと

次は二行目の「相手のために」とは、どういう意味なのか？

あなたはだれのために仕事をしていますか？

ほとんどの人は「自分のため」と答えます。それはけっしてまちがいではありません。古今東西あらゆる学者は「人間の究極は自分のエゴである」と断じている。なるほど、そうであろう。

どんなきれいごとを言おうが、人は結局自分がいちばん大事である。しかし、ものには順番というものがあります。それは、大事な自分を満足させるためには、まずは目の前のわが妻、わが子、わが友、わが部下、わがお客さんを先に満たしてあげないことには、けっして自分は満たされることはないという、因果関係の法則である――。

私生活であれ、ビジネスであれ、自分のことだけを考えて相手を疎かにすれば、まちがいなく相手から敬遠され、あるいは拒絶され悲惨な結果を招くことになります。

人生とはまさに〝山びこ〟であり、相手を幸福にしてあげれば、結果としてこちらも幸福になり、相手を不幸にすれば、こちらもまちがいなく不幸になる。至極単純にして、永遠普遍の真理です。

たとえば飲食店としましょう。

自分の儲《もう》けだけを考えて、食材や調理法を「こんなもんでいいだろう」と適当にすませたら、顧客の不満と怒りを買い、客足は減り、やがて閉店となる。しかし「もっと」満足いただくためにああしよう、こうしようと努力を怠らないお店は、顧客からも感謝され、やがて百階建てのビルを建てることになる――。

こんな簡単な道理に気づいていない人が、いかに多いことか――。

あるとき、私の妹から電話が入りました。

「兄ちゃん、今度生命保険の仕事を始めたので、よかったら一つ入って！」

何気なく言った妹の一言かもしれませんが、「兄ちゃん入って」と頼むのは妹のためであり、そこには相手のことを思う気持ちはありません。これが、

「兄ちゃん、人生何が起きるかわからんよ。何かあったときのために一つぐらい入っとったほうが安心よ。奥さんや子どもを愛してるんなら、保険一つぐらい入ってあげて……」と言うのなら断る理由はありません。黙って契約をする。

先日も、近くの電器屋さんが、大型冷蔵庫の販売に来ました。うちの担当者はため息の出るほど好青年でしたが、その日の口上がいけない――。

「いま、大型冷蔵庫のフェアをやってるんですが、大台の二十台までに一台足りなくて、それで加賀田さんを思い出しまして……」

この人はせっかくの好青年なのに、世の中の道理である〝まずは相手の幸福のために〟ということを知らず、自分の売り上げのためにご協力を……と言うのです。もちろん丁重に辞退したら「それでは……」と言って腰を上げました。呆然《ぼうぜん》とした――。

何をしに来たのか？

彼は二つの過ちを犯しました。一つはいうまでもなく自分のために買ってもらおうとしたこと――相手のためにこう言うべきだ。

「いまお使いの冷蔵庫は、いつごろお買いになったのですか？」

「調子はどうですか？」

「こういう不便はありませんか？」

「そうですよね、いままでの冷蔵庫はそういう問題がありましたよね、奥さん、そういう不便や不経済が全部解決できたらいいなあ～と思われませんでしょうか？」

「そこで、お待たせいたしました、やっとそういう問題を一発解消できるこういうのが開発されまして……」

「これでしたら、こういうメリットと、ああいうメリットと、それにこんなメリットもありまして、これでしたら奥さんにも喜んでいただけるんじゃないでしょうか？」

うちの家内、「いただきます！」終わり。


相手がいま抱えているデメリットと、新商品を使って得られるこれからのメリットを教えてあげれば簡単に決まるものを、「お客さま、お情けを……」と言われても、数十万円は出しかねる。

そして、もう一つの過ちは「それでは……」と言って座を立ったことです。

私はその担当者をたいへん気に入っているし、私の家にはそろそろ買い替えようかな……と思っている電化製品がいくつもあるのに、そのことにはまったくふれず、手ぶらで帰ったのです。

プロたる者は、何があろうとタダ話をしてはならない、タダ働きをしてはならない。一つがダメなら次のものを、一つ決まったら二つ目を、二つ決まったら三つ目を。可能なかぎり、最大量販売するのがプロである――。

私はちょうど、電気カミソリとテレビを買い替えようかと思っていたのに「それでは……」と言われてタイミングを逸し、それらを買い求めるのに一日を費やす結果となりました。

彼は、早々と帰ったことで、売れたであろうテレビ二台と電気カミソリの売り上げを失い、私は探し求めるのに一日を空費したのです。

まさに〝売ることは美徳、売らずに帰ることは罪悪である〟――。

いずれにしても売るための秘訣《ひけつ》は、けっして自分のために売ろうとせず、ひたすら相手のメリットのために売ろうとすることです。

人に親切にするのも、商品を売るのも、自分のためと思う下心がもしあるのであれば、それは動機が不純であり、卑しくもあります。

売れるその瞬間までは〝毛〟ほども自分のことは考えず、その家、もしくは会社を出てから思い切り言おう。

「やった！」と。

断りきれない状態にして──お客が断るのは「いらないから」ではない

続いて、断りきれない状態とは──？

当然ながら、何か目的のあることをするときは、失敗するよりも成功したほうがいいですよね。ならば、その目的が成功するように、断られないようにしたほうがいい。

営業の場合も同じです。営業の場合は、売るということが目的ですね。どんなにいい商品だと思ってすすめていても、相手に受け入れられなければ訪問した意味がない。

相手にもいい商品だと思ってもらい、断らないように説明してあげるのが営業マンなのです。「断りきれない」、ここは押しつけがましいとか、無理強いだとか、押し売りだとか、誤解を招きがちな部分です。しかし、まったくそうではありません。

考えてみてください。お客はなぜセールスを断るのか。なぜ、営業マンが名乗った瞬間に「いりません」と言うのか？「いらないから」ではない。その商品が不要だから断るのではありません。お金がないからでも、時間がないからでもありません。

お客が簡単に断る原因は、たった二つ。

一つは、営業マンの態度や服装に不快感を抱いたからです。あなたにも身に覚えがありませんか？

お客に見た目、話し方、態度など、会った瞬間の第一印象で不快感を与えたらいとも簡単に断られます。

もう一つは、いらざる間を与えているということです。お客は営業マンとお話ししたいと思って家や会社にいるわけではありません。どうぞ断るんなら断ってください、と言わんばかりにいらざる間をあげたら、タイミングを与えてあげたら、即座に断られてしまいます。

先の電器屋さんの例のように多くの営業マンは、結局お客に断られて、売ることなく退散してしまいます。しかし私にいわせれば、お客に何のメリットももたらすことなく場を去るのは、それこそ罪悪です。売らずに帰ってしまったら、お客とやりとりした数分間はまったくのムダになってしまいます。お客にとっては時間の浪費以外の何ものでもない。それはとっても失礼なことだと私は思います。

自分がよいと信じる商品を持ってきたのだから、お客のためにそれをすすめて、「断りきれない」状況にして売ってあげる。それこそが営業マンの使命なのです。

「売ってあげる」――営業マンは「幸せを運ぶ青い鳥」になるべし

「売ってあげる」ことについて、詳しくご説明しましょう。

およそどんなモノにだって、プラスとマイナスは必ずあります。

たとえば、私がはじめて営業マンとして扱った商品は、一般家庭の扉に取りつける防犯ベルでした。はっきりいって粗悪品です。当然インチキとまではいかないけれど、壊れやすいという欠点があった。しかし私はそれを売ることが悪だとは考えません。

そんな粗悪な防犯ベルだって、ないよりはあったほうが絶対に安全なのです。

私が売らなければ、あした、この家に泥棒が入るかもしれない。私が売らなければ、悪質な営業マンが法外な値段で、もっと粗悪な防犯ベルを売りつけに来るかもしれない。お客のために、そんなことがあってはいけない。だから私は相手のために「売ってあげる」のです。

現役時代、私はお客のもとへ向かう途中、いつもこう口ずさんでいました。

「私はウソをつかない。私はお客さんのためにいちばんいいものを売ってあげる。私は青い鳥である。福の神である。私から買うのがお客さんはいちばんハッピーである。私が売ってあげないと、ほかの会社のよからぬ営業マンが、よからぬ商品を不当に高い値段で売るかもしれない。売らずに帰ることは罪悪である——」

いわば、営業マンは、ただ単にモノを売る仕事ではないということです。**売るのは商品ではない。売るのは相手のための、お客の役に立つメリットであり、利便性であり、快適さであり、夢、幸せなのです。**

だから私は、営業で卑屈になったことなど一度もありません。「お願いします」と言ったこともない。モノを売ったあとで「ありがとう」も言わない。「ありがとう」を言うのは、お客のほうです。私がいいモノを「売ってあげた」、幸せを「与えてあげた」からです。

だから私は、お客に何を言われても動じません。

断られても平気。「いま時間がないので」と言われても、「じゃあお時間はとらせませんので」とすぐ切り返せる。

だって私は「買ってもらう」ために来たのではなく、お客によい商品を「売ってあげる」ために来たのだから。この商品を使ったら、こんなメリットがありますよと教えてあげに来たのだから。幸せを運びに来たのだから。何らやましいことはない。堂々としていられるのです。

買ってもらえるかどうかと疑心暗鬼、びくびくしながら営業するのと、お客のためと思って営業するとの違い。

この天と地ほどの違いをおわかりいただけるでしょうか。

お客に「買ってもらう」――私にいわせれば、それは営業ではありません。ただの

卑しいご用聞きです。

だいたい「買ってもらう」のはだれのためですか。自分のためでしょう。しかし営業は自分のためにモノを売ってはいけない。

お客のために「売ってあげる」のです。

「買ってもらおう」とすれば、主導権を握るのは必然的にお客側になるし、営業マンはペコペコと卑屈になります。「お願いします」と下げたくもない頭を下げることもあるでしょう。

しかし、「売ってあげる」ならどうか。

主導権は当然こちらにあり、自信をもって提案できるし、むしろお客から「売ってくれてありがとう！」と感謝されるのです。

「売ってあげる」と「買ってもらう」の違いは、表にしてみたらよくわかります。

あなたははたしてどちらに当てはまるでしょうか？　ほとんどの人は、「買ってもらう」態度になっていないでしょうか。

「売ってあげる」と「買ってもらう」の違い

売ってあげる	買ってもらう
・相手のため	・自分のため
・積極的	・消極的
・こちら主導	・相手主導
・強気	・弱気
・能動的	・受動的
・自信	・卑屈
・営業マンのペース	・相手のペース

誘導の芸術である——営業とは、究極には何か？

最後の「誘導の芸術」とは、いったいどういうことでしょうか。

なんでみんな売れないのか、それは、お客の「誘導」ができていないからです。

たとえば売れ残りマンション。たとえ売れ残りでも私は即決で売ります。しかし、ほとんどの売れない営業マンは、部屋の説明をするだけ、ただ案内するだけです。そして最後に言う台詞《せりふ》が「どうでしょうか？」などと言う、お客に買う気があるかどうかをたずねる、いちばん愚かな言葉です。

説明だけを聞いて、部屋だけを見て、お客に何がわかるでしょうか。**営業マンは、断ろうというお客、悩んでいるお客の背中を押して、契約というゴールに導いてあげないといけないのです。**それなのにみんな、「誘導」ができていないのです。見に来ただけ、お金がない、といったお客の断り文句を真に受けて、クロージングまで行けっこないと勝手に決めつけるのです。勝手にあきらめる口実を自分でつくるのです。

私はお客が何と言っても、その抵抗を真に受けません。気にしないでいつもどおりクロージングまで、ときに断り文句を切り返しながら話を進めます。そして気がついたときには相手は即決、契約している。ここまで相手をあやつること、それが「誘導」です。

営業とは、究極的にはアプローチからクロージングまでの「誘導」！

最後の契約まで誘導できなかったら、あなたはただのご用聞きです。

営業とは、究極は相手の心を意のままに誘導する芸術なのです。

お客に納得してもらう必要はない

ここまで営業とはどういうものか、お話ししました。

具体的なテクニックに関しては次章以降で詳しく説明するとして、ここではほとんどの営業マンが陥る〝落とし穴〟についてふれておきましょう。

多くの売れない営業マンは、お客に「納得してもらおう」とします。商品についてしっかり納得してもらったうえで買ってもらおうとする。だからお客に「いかがでしょうか？」などと聞く。

これは大まちがいです。

なぜならお客は、営業マンの言葉に心の底から納得することなどないからです。

人はだれしも、自分自身が経験したことしか信じません。**使ったこともないのに、「この商品はすごくいいから」とすすめられても、心の底から納得はできません。だから営業マンは「いかがでしょうか？」とは絶対に聞いてはいけない。**そんなことを聞かれたって、使ったことのないお客にはわからんのです。わからないから、「いりません」と言う。

とはいえ、プロの営業マンはお客のために売ってあげなければなりません。そのためにはどうすればいいか。

納得してもらうのではなく、お客を「その気」にさせるのです。そして、お客をその気にさせるための最良の方法は、お客自身に商品を買うメリットに「気づかせる」ことです。

相手に「気づかせる」ために質問せよ

私はお客に無理強いをしたことは一度もありません。「いかがでしょうか？」「これがいいですよ」とは絶対に言わない。「これがいい」と気づき、買おうと決めるのはつねにお客です。


それでは、相手に「気づかせる」ためには何をすればいいのか——。

お客に「質問をする」のです。


たとえばマンションの営業だとしましょう。私は聞く。

「失礼ですが、いまどれくらいお家賃を払っていらっしゃいますか？」

こちらが聞けば、どんな無口なお客だって答えます。そうしたら、また質問する。

「それでは、もう何年ぐらいお家賃を払ってこられたんですか？」

「うわっ、じゃあ単純計算でもう二百万円くらい払われてきたんですね。いま思えば、もったいないとは思われませんか？」

「失礼ですが、同じ八万円を払うなら、払い捨てのお家賃を払うのと、マイホームのローンを払うのと、どちらかというと、どちらのほうが気持ちいいなあ～と思われますでしょうか？」

このように聞かれれば、お客は考えます。頭の中で計算します。払い捨ての家賃を払いつづけるデメリットにあらためて思い至ります。私が「家賃を払うのは損ですよ」

と言わずとも、お客自身が気づきます。

気づいたら、もう即決。お客は自分でマイホームを買うことを決めたので、気持ちよく契約するのです。

営業のセオリーが理解できれば、日にちはいらない

ここまでの説明で、営業がいかに奥深く、魅力的な仕事であるかをご理解いただけたでしょうか。

私は「営業ほどおもしろい仕事はない」と思っています。そして実は、営業ほど簡単な仕事もありません。

営業は手品と同じです。仕掛けがわかるまでは摩訶《まか》不思議、しかしタネが見えてしまえば、これほど単純明快なものはありません。

車の運転やスポーツなど、体を使う仕事はキャリアがものをいいます。一年目よりは二年目、五年目よりは十年目と、やればやるだけ上達します。

しかし営業は違います。営業の世界では経験など一文の価値もありません。むしろ、

経験が邪魔をすることだってあるのです。

営業のセオリーさえ理解できれば、早ければ一日、遅くとも一か月以内に、あなたの世界は一変するでしょう。

次章からはいよいよセオリー編です。タネがわかれば営業がどれだけ簡単な仕事なのか、それをいまからお見せします。

第2章

即決させる営業——セオリー編

加賀田式「対人折衝のセオリー」

売れないとなげくほとんどの営業マンは、およそ営業のやり方をわかっていません。自分なりの営業哲学やセオリーが確立されておらず、いつも行き当たりばったりです。だから売れない。

この世の中、車の運転やスポーツなど技術のともなう行為においては必ず、こうして、こうして、こうする、という〝セオリー〟があります。セオリーを知らずして、スポーツは楽しめないですね。

もちろん、営業だって同じなのです。

加賀田式における営業のセオリー、すなわち「対人折衝のセオリー」とは、次の六段階です。

(1) アプローチ
(2) 人間関係

(3) 必要性
(4) 商品説明
(5) テストクロージング
(6) クロージング

さっそく、順番に説明していきましょう。

(1) アプローチ
アプローチこそ営業の命

売れるか、売れないか――。

営業のなかでいちばん大事なのは、アプローチです。土台がなければ建物が崩れてしまうように、営業ではアプローチが成功しなければ、契約を勝ち取ることはできません。

営業はすべからくお客へのアプローチから始まります。

あいさつをし、名前を告げ、用件を伝える――この一分かかるかどうかのアプローチですべてが決まるといっても過言ではありません。

営業が成功するかどうか、アプローチは運命の分かれ目です。とくに訪問販売やテレアポでは九〇%以上がここで脱落します。即座に「けっこうです!」と断られてしまいます。「玄関払い」という言葉がありますが、そのとおり、行っても行っても、話を聞く前に追っ払われる。

あなたもお客の立場なら、どんな商品かじっくり聞いてから断るわけではないですよね。営業マンが来たアプローチの段階で、瞬時に断る。

しかし逆にいうと、ここをクリアできれば、ほとんどの場合は最後まで話を聞いてもらえる、ということです。最後まで話ができたら、そのうちの何割かは契約が決まりますよね。

「最後まで話ができたら」、これがなかなかできない。

つまりはアプローチこそが営業の命なのです。

感じのいい営業マンに「ノー」と言うのはむずかしい

それでは、どうすればアプローチを突破できるのでしょうか。

お客に断らせないための第一歩は〝感じのいい熱心な営業マン〟になることです。

「なんだ～」と拍子抜けした方がいるかもしれませんね。

だけど思い出してください。

第１章で述べたとおり、お客がセールスを断る理由のほとんどは、商品云々《うんぬん》ではなく「営業マンがイヤ」というものです。

お客はまず営業マンの見た目で判断します。会った瞬間に、相手に不快感を与えたら終わりです。どんな営業マンが断られないのかというと、それが〝感じのいい熱心な営業マン〟なのです。

人間の心理は似たり寄ったりです。多くの人がどういう営業マンを感じがいいと思うのかも決まっています。それは清潔感があり、明るく、元気のある、礼儀正しい営業マンです。**清潔感のある格好をして、明るい笑顔、元気のある声であいさつをし、**

礼儀正しいおじぎ――。これができたら売れる。営業のプロだといえるでしょう。

簡単でしょう。でも、残念ながらだれもできていない。頭でわかっていても、清潔さも明るさも元気のよさも礼儀正しさも、ぜ～んぶ中途半端。暗くはないけれど別に明るくもない、横着とまではいかないけれど特別礼儀正しいわけでもない。いうなれば「普通」なんです。

それでは意味がないんですよ。「普通」は何の役にも立たない。きのう、おととい、やってきた営業マンと同じでは、お客は何とも思いません。

プロと呼ばれる営業マンは、お客の心をゆさぶり、感動させるほど「清潔で、明るくて、元気がよく、礼儀正しく」なければいかんのです。

想像してみてください。

一点の隙《すき》もない清潔な格好の営業マンがやってきて、明るく元気に「ごめんくださいっ！」とあいさつをして、深々とおじぎをしたら、お客はどんな印象を受けるでしょうか？

うわっ、こんな営業マン見たことない――。

そう思って少なからず感動するんですよ。だってほんとうに、そんな営業マンめったにいないのですから……。

その瞬間、営業マンはお客より優位に立ちます。

仕事でもプライベートでも、向き合う相手は自分の〝映し鏡〟です。こちらが愛情を込めて、ていねいに接すれば、向こうも礼儀正しくなるものです。だからあなたが熱心に礼儀正しく接すれば、お客はもうあなたのことをそうそう邪険には扱えません。逆にあなたがみんなと同じ「普通」の営業マンだったら、いとも簡単にお客にあしらわれてしまうでしょう。

「効果」があるほうがいつも正しい

それではみなさんに、清潔で、明るくて、元気がよく、礼儀正しい営業マンになる方法を説明しましょう。
まず清潔感——。

相手に与える清潔感とは清々《すがすが》しさ、好ましさのことをいいます。

人は、第一印象で相手を値踏みするという性質をもっていますが、だれからも好印象をもたれる外見とは、おおむね次のとおりでしょう。


背広はシングルの紺。

カッターシャツは無地の白。

ネクタイも、紺色に小さい模様が入ったもの。

靴、ベルト、名刺入れ、靴下、鞄《かばん》もすべて飾り気のない黒。

ズボンは必ず折り目を入れ、靴は毎日手入れをする。


ある大手企業でこの話をしていたら、「先生、服装にはその人の個性もあっていいんじゃないですか？」と勇気ある発言をした人がいました。

その人の服装は生涯忘れないほど特徴的でした。まずカッターシャツは原色のブルー。ネクタイは光沢を放つシルバー。極めつきはその靴であった。先のとがった、白い、蛇柄のメタリック調のものでした。

さてこの個性は役に立つ個性でしょうか。それとも顰蹙《ひんしゅく》を買う個性でしょうか……。人は生きていくなかで、どうしようか、言おうか言うまいか、やるべきか否か、という〝迷い〟をこの世の終わりまでくり返す動物です。

つきつめて考えると、あらゆる場合で迷ったときの判断基準は、世界に一つしかありません。

それは〝効果〟である──。

その言い方、やり方が効を奏したのであれば、それは正解であり、逆に何かを損なうことになったのであれば、それはまちがいということになる。

服装もその〝効果〟だけが判断基準です。この上なく好印象を与えるものであれば、それはこの上なく正解であり、ほどほどに好印象を与えるものであれば、それはほどほどに正解ということになる。もしも、好印象も悪印象も与えない、きのうも来た、おとといも来た、年がら年中来ている営業マンと同じであれば、「またか」と疎んじられ、簡単に断られる。

さあ、あなたならどうしますか？

清潔感に徹しますか、それともほどほどでいきますか──？

次は〝明るく〟にいきましょう。これは実に簡単。笑えばいい。**つくり笑い、追従笑いではなくて、相手に親しみを込めてにこっと笑えばいい。**

あとからご説明する毎日のスタンバイができていれば、こんなのは至極簡単です。

次は〝元気〟。

これもスタンバイができていれば憂うことなしです。

さらに、一つつけ加えるなら、戦闘開始前に自分の精神状態を戦闘モード、営業マンモードに瞬時に切り替えて、第一声を本来の自分の声より一オクターブ、二オクターブ、三オクターブ大きな声で「おはようございます！」もしくは「失礼いたします！」と滑舌よく言えたら、勝負はあなたの勝ち。**最初の第一声を元気よく言えたら、最後までそのテンションを貫けるでしょう――**。

次は〝礼儀〟。

これも簡単！

最初のあいさつをするときに、くそていねいなほどきっちりおじぎをすればいい。

一応その手順を述べておきます。

まずは、その瞬間意識して胸を張り、ボキッと体が折れるほど、すなわち横から見たときに九〇度になるくらい腰を曲げて、ピタっとその姿勢で静止してから、さっともとの美しい姿勢に戻る。

文字に書けばこれぐらいですが、あとは何度か練習すればその日からでもできるようになるでしょう。

もちろん訪問時に問われる礼儀はこれ以外にもいくつかありますが、それは心がけさえあれば何とかなります。

以上、売れるか売れないか、何よりも大事なアプローチとは、この何でもないことのような清潔感、明るさ、元気のよさ、礼儀正しさにかかっています。これが人と接する仕事、営業の大基本であり、これさえできればその人は正真正銘、不滅、永遠のプロでしょう。

アプローチで絶対に断らせないトーク術

ここで一つ、大事なポイントをお話ししましょう。


覚えておいてください。

お客は、断ることができるから断るのです。

営業マンが断るタイミングを与えるから、お客は断るのです。われわれ営業マンは、断られるためにお客のところに訪問しているわけではありません。相手の役に立つために行っているのです。断られるのが目的ではないのです。


とくにアプローチの段階においては一瞬の〝間〟が命取りになります。

営業マンが一秒でも〝間〟をあけたら、お客は即座に「けっこうです～!」と言いますよ。

だからアプローチでは、営業マンは絶対に不必要な〝間〟をあけてはいけません。

言葉を切っていいのは、最後に相手へ「質問」を投げかけるときだけです。

学習図書の訪問販売でいえば、お手本はこんな感じです。

「おはようございます、お忙しいところ恐れ入ります、私、お世話になっております○○社でございますが、失礼ですが、奥さまのところはお子さまはいらっしゃいますでしょうか？」

ここまで一気に突っ走り、最後の質問ではじめて言葉を切ります。

すると人間は不思議なもので、断るつもりであっても質問されればついつい答えてしまいます。そうしたら営業マンはお客の返事に対してつらつらと話をし、最後にまた質問。そうこうするうちにお客は断るタイミングを逸してしまいます。

簡単なことですが、ほとんどの営業マンはこれができていません。「○○社の加賀田ですが……」と、名乗ったあとに相手の反応を待ってしまう。わざわざお客に断るタイミングを与えてしまう。それでは断られて当然です。

アプローチでは いらざる〝間〟をあけてはいけない。営業マンが隙を与えなければ

お客は断らない。言葉を切っていいのは質問のときだけ——この部分は非常に大切ですから、ぜひ頭にたたき込んでおいてください。

一方的にしゃべるのは逆効果である

少し補足をしておきます。

いらざる〝間〟をあけないことと、一方的にしゃべることはまったく別物です。

「私ですね、これこれこうで、こうこうで、ご存じかと思いますが、こういう件でお邪魔させていただきました。で、うちの場合は……」

こんなふうに、切れ目なく一方的にしゃべっていれば断られないと思ったら大まちがい。お客はすぐに嫌気がさして、別のことを考えはじめます。

「この人がしゃべり終わったらこんなふうに断ろう……」

お客は頭の中でこのような作戦を練りはじめます。だから適度なタイミングで質問を挟み、お客と会話のキャッチボールをすることが大事なのです。

あるいは、威勢よく「おはようございますっ！」とあいさつをされた直後に「けっこうですっ！」と返してくる人はまずいませんから、ここで一拍〝間〟をとり、キャッチボールをはかるのもいいでしょう。心ある人なら「おはようございます」と返事をくれるでしょうし、そうでなくとも「はあ」くらいは言ってくれます。

極端なことをいえば「はあ」という返事すらなくてもいい。相手が無言でも、このタイミングなら頭の中で「はあ」と返事をしていますから、その頭の中の「はあ」と会話をするテンポで話を進めていくのです。

法人営業のアプローチ突破方法

ここからは、さまざまな営業の場面のアプローチ突破方法について説明しましょう。

法人営業、一般家庭への営業とその前段階のインターフォンを突破する方法、そして電話で約束をとりつけるテレアポのアプローチの方法。これらの四つを突破する方法をみていきましょう。

法人営業では、企業に飛び込んですぐさま決定権者に会えて、話がとんとん拍子に進むのは容易ではないと思われる人が多いでしょう。受付でシャットアウト、アポイントがなかったら門前払い。お百度参りのように何度も訪問してやっと契約――。

ところが、加賀田式では違います。法人営業であっても行ったら即決です。

まず、企業訪問はやりにくい、怖い、頭ごなしに断られる……こうしたまちがった恐怖心をとりのぞきなさい。相手にするのは人間、勝負はおじけづいたら負けです。

では、企業の扉を開けましょう。

企業であれ商店であれ、一歩入ったら、人がいようがいまいが第一声は「失礼いたします！」。これをこの上なくいい声で、いい姿勢でにっこり笑って言い、きっちりおじぎまでできるかどうか。これができたらもう戦いに勝ったも同じです。**最初の第一声が明るく、礼儀正しければ、その後会った人にも同じようにふるまえるはずです。**

それからいちばん近くにいる人のところに歩み寄り、その距離約二メートルまで近づく。それ以上離れた状態では相手にされません。堂々と二メートルの距離まで近づいて、明るく元気よく礼儀正しく、朝ならおはようございます、昼ならこんにちは、とあいさつします。

きっちりおじぎをして「失礼いたします。お忙しいところ恐れ入ります、私、こちらの○○社さまでもご利用いただいておりますようなパソコン、その他事務用品全般を取り扱っております○○社と申しますが、恐れ入ります、本日、こちらの○○社の社長さまはいらっしゃいますでしょうか」とこう言います。相手は断るタイミングもなく、いるかいないかを答えます。

相手が「はい」と答えたら「恐れ入ります、どちらのほうにいらっしゃいますでしょうか？」という場所をおたずねする。そうすれば、相手はまたもや答える。「奥にいます」「二階にいます」という返事に対し「ありがとうございます、それではちょっと失礼させていただきます」と言ってその場所まで自分の足で向かいます。

ここまでが、まずは企業に訪問したときの、受付の方に対するアプローチです。

この段階でどんなご用件ですかと聞かれる場合もありますが、そのときはこう答えましょう。「はい、実は私、このたびこちらの○○地域の担当をさせていただくことになりましたので、まずは○○社の社長さまにごあいさつをと思いましてお邪魔させていただきました。恐れ入ります、本日、社長さまはお手すきでございましょうか？」とまたもや質問で言葉を切るのです。そうすれば、相手はつられて「はい」と言う。

おおむねこのパターンで、企業の大小にかかわらず、もしくは商店であれ、これの応用で受付に対するアプローチはなんなく突破できるでしょう。

次は決定権者に対するアプローチです。相手が見えるところにいる場合も、個室の中にいる場合も、しゃべる台詞《せりふ》はまったく同じ。「失礼いたします、あのー、まことに失礼ですが、○○社の社長さまでございましょうか」。相手が「はい」と答えたら、相手に敬意を表して半歩下がりながら「お忙しいところ恐れ入ります」と言ってきっちり頭を下げます。この半歩下がった、いままで見たこともなかったような礼儀正しい動作を相手はけっして見逃しません。

「私、○○などでお世話になっております○○社と申しますが、実は私、このたびこちらの○○地域を担当させていただくことになりましたので、まずは何をさておいても○○社の社長さまにごあいさつをと思いましてお邪魔させていただきました。私、○○社の加賀田晃と申します。どうぞよろしくお願いいたします」と言って名刺を手渡す。このときに名刺の受け取りを拒否する人はいません。なかには自分も名刺を差し出す人もいます。そのときは「ありがとうございます」と受け取り、「早速でございますが、社長さま、ちょっとよろしいでしょうか」と言って椅子を指さします。相手はどうぞ、と言う。ここで「なんで座るんですか。帰ってください」という人はおそらく世界に一人もいません。人の心理はみんな同じ。このトークのように話せば、相手は同じ反応をします。「どうぞ」と言われたら、「ありがとうございます」と椅子に腰かける……。

ここまでできたらアプローチ成功、おめでとう。おそらく話は最後までできるでしょう。ものはちょっとした言いようです。

念のため言い添えておくと、私は絶対立ち話はしません。ほとんどの人は立ったままで話し、カタログを出すからけっこうですと言われる。大事な商談は座ってからする。座るまでは一言も商品のことを説明してはならない、カタログも見せてはならない。椅子を指さして「ちょっとよろしいでしょうか」これで成功である。

一般家庭のアプローチ突破方法

ここからは、学習図書の販売を例に、一般家庭でのトークをご紹介しましょう。**まず一般家庭に訪問したときは、家の奥まで聞こえるように「ごめんくださーい！」と言う。**

これをびくびくして、玄関から顔だけ出して小さい声であいさつをしたり、ぼそぼそと実はこういう用件でお伺いしたんですけども……と相手の反応をうかがっていると、いとも簡単にけっこうですと断られます。

まずは必ず玄関の中にちゃんと入ってからごめんください、と言う。その後のあなたの態度や話し方が横着でなければ、不快でなければ、礼儀正しければ、なんで勝手に入ってきたんだ、と怒る人はいません。そしてお客が出てきて顔が見えた瞬間に、これ以上はどうしようもないというくらいの最高に美しいおじぎをします。意識していい姿勢になるように肛門《こうもん》をしめ、上半身がぐっと前にせり出すように胸を張り、そしてボキッと体が九〇度曲がるくらいに、ていねいすぎるほどきっちりおじぎする。

お客はあなたのごめんください、という声を聞いて、また営業マンかな、イヤだなといぶかしく思いながら玄関まで出てきます。しかし、いまだかつて見たことのないような美しいおじぎを見て、相手は心を奪われる。なかには思わず三つ指をつく人もいます。**あ、営業マンだ断ろうという気持ちが一瞬にして忘れ去られます。**

この瞬間、勝負はあなたの勝ち。

それから「私、お世話になっております、〇〇社でございますが、奥さまのところは、お子さまいらっしゃいますでしょうか」「はい」「おいくつでございますか」「えーっと、七歳と二歳」「あら、そうなんですか、上のお子さんが七歳で下のお子さんが二歳、うわー奥さんこれからが楽しみですね」「はあ」「それじゃあ奥さん、たいへん失礼ですが、こういう事実ご存じでしょうか」と言いながら、何かの資料をさっと出して相手に見せながら上がりかまちに腰を下ろす。

ここまでが一般家庭へのアプローチ。先ほどの法人営業と同じく、座れたらアプローチ成功。話は最後までできます。

インターフォン突破法・正攻法

一般家庭を訪問するとき、田舎《いなか》では玄関の鍵《かぎ》がかかっていないことも多いのですが、最近ではインターフォンをつけている家庭もたくさんあります。このインターフォンの突破方法をご紹介しましょう。

ほとんどの営業マンは最後まで自己紹介する前に、インターフォン越しに「けっこうです」と断られてしまうでしょうし、腕利きの営業マンでもドアを開けてもらうまでにいくばくかの時間をロスしてしまいます。

名乗ったとたんに「けっこうです！」と瞬殺される営業マンには、ある共通点があります。

それは台詞が棒読みで笑顔がないことです。**しゃべり方が事務的だから、お客は一発で「あっ、何かの営業だな……」とわかってしまうのです。**

どうせインターフォン越しだからと油断してはいけません。口だけでしゃべっていれば、必ずお客に伝わります。「あ、この人はいま、無表情で台本を読んでいるな」と見えてしまいます。

たとえお客が目の前にいなくとも、いると思って話すこと。インターフォンで「おはようございます！」と言うときはニッコリ笑っておじぎもして、目の前の人と話すのと同じように話すこと。そうすれば言葉に感情がこもり、お客にも「感じがいいな、いつもの営業とは違うな〜」と思ってもらえます。

それではオール電化の訪問販売を想定した実例をみていきましょう。

ピンポーン。

お客　はい。

営業　あっ、おはようございます。

お客　はあ。

営業　お忙しいところ恐れ入ります。私、お世話になっております○○社と申しますが、このたび奥さま、ご存じかもしれませんが、いつもお使いいただいております給湯器でありますとか、ガス湯沸かし器、あるいは各種照明器具などの光熱費の変更、割引プランができましたので、そのお知らせ方々、ちょっとお邪魔させていただきました。恐れ入りますが、奥さん、ちょっとお願いいたします。

先ほどもいいましたが、〝間〟をあけずに断るタイミングを与えないようにします。ただし、一方的にべらべらしゃべるのではなく、あいさつのキャッチボールをしながら行います。

オール電化のようにメリットが明確な商品は、そのメリットを簡潔にアプローチトークに織りませてお客の興味をひきつけましょう。「割引」というキーワードはとても有効で、「そのお知らせでお邪魔しました」と言えば、みんな「えっ、そうなのか」と思って出てきてくれます。

また、会社として粗品を配っている場合には、

「おはようございます、お忙しいところ恐れ入ります。私、お世話になっております○○社と申しますが、実はこのたび新しくサービスを始めましたので、気持ちばかりでございますが、粗品のお届けがてらお邪魔させていただきました。奥さま、ちょっとお願いいたします」

と言うパターンもあります。カメラつきのインターフォンであれば、粗品がお客から見えるようにちらりとのぞかせておくのも効果的です。

インターフォンは壊れていると思いなさい

ほかにもインターフォン突破方法をご紹介します。まずは、次のようなトークです。

ピンポーン。

お客　はい。

営業　あっ、おはようございます。お忙しいところ恐れ入ります。私、お世話になっております○○社と申しますが、ちょっと奥さん、ごあいさつによらせていただきました。恐れ入ります、奥さん、ちょっとお願いいたします。

こう言ったら、すかさずインターフォンの前を離れて玄関ドアの前に移動して待機します。「ドアを開けてもらって当然」という意識で行動するのです。

カメラつきのインターフォンなら営業マンがどこへ向かったかは一目瞭然《りょうぜん》ですし、カメラがなかったとしてもお客は気配でわかります。玄関前でじいっと待たれたら、お客はとりあえずドアを開けるしかないですよね。

さて、ここまでは正攻法の範囲内。ここからは裏技です。これはどんな商品のどんな訪問販売にも応用できるテクニックです。

ピンポーン。

お客　はい。

営業　おはようございます、お忙しいところ失礼いたします。

お客　何ですか？

営業　もしもし、もしもし。

お客　聞こえてますけど。

営業　もしもーし！……あれ？

おわかりになりますでしょうか。

秘技「インターフォンが壊れた!?」です。

もちろんインターフォンには何の問題もありません。しかしここは「壊れている」と思い込んでください。「あれ、おかしいな」という困った顔つきで「もしもし」と言いながらまごついていれば、お客もインターフォンの調子が悪いのかしらと思って出てきます。

お客にドアを開けさせるための、これがいちばん簡単な方法です。

こんなの邪道だと思われるかもしれません。ですが、ウソも方便。お見舞いに行って、どんなに具合が悪そうに見えても、「顔色が悪いですね」と言ってはいけないですね。「だいぶお元気そうになって」と言ってあげたらウソでも相手は喜びます。

これといっしょ。お客のために営業に来ているのだから、これくらいは許される言葉遊びだと私は思います。

テレアポの突破方法

次に、いまたいへん普及しているテレアポをとる方法をご紹介しましょう。

テレアポとは何なのか、よく理解できていない方が多いでしょう。**テレアポとは、電話営業ではありません。あくまでも会う約束をとりつけるのがテレアポです。**それをまず念頭に入れていただきたいと思います。

本題は会ってから話します。テレアポの段階で一時間もかけてこと細かに説明しようとし、そして結局は簡単に断られる人が実に多いのです。

実は、この世の中でいちばん断られやすいのは飛び込み訪問ではなく、このテレアポです。どんなに気の弱い人でも、顔の見えない相手、電話越しならけっこうです、と瞬時に切ることができます。そこで、どう考えてどう話せばよりムダを少なくして、より高い確率でアポがとれるのか、具体的なやり方をご紹介しましょう。

その前に、一般営業であれテレアポであれ、下手な鉄砲も数打ちゃ当たる、断られても断られてもそれにもめげず次のところに行くのが営業だと考えている人がたいへん多いですね。**私は、相手がどんなお客でも、何と言われても相手を落とす、いわゆる一発必中——これが営業だと考えています。**

テレアポもしかり、とにかく電話をかけまくればそのうちとれると思ったらたぶんことごとく失敗します。たまたま契約がとれたとしても、ラッキーに出くわしただけであって、それははたして営業といえるでしょうか。

一発必中の精神で、いまからテレアポのアプローチのしかたを説明しましょう。

リリーン。

お客　はい、鈴木です。
営業　あの、鈴木さんのお宅でございましょうか？

相手がはっきり聞き取れる声で名前を言っても、必ず聞き返しましょう。これは会話を一方通行にせず、相手をこちらの土俵に引きずり込むためです。人は聞かれたらどんな無口な人でもそれに答えます。鈴木さまですかと聞かれたら「はい」と言います。

これでまず電話をかけた瞬間にキャッチボールが成立します。錯覚しがちなのですが、断られないためには、長時間話したほうがいいんだと思い、相手の反応を確かめもせずに一方的にしゃべりまくる人がいます。しかし、テレアポも営業も演説ではない、ひとり言ではありません。一方的だと相手は蚊帳《かや》の外。どんなに短い間でも、相手とキャッチボールしましょう。

前述しましたが、「お忙しいところ恐れ入ります」この後に一瞬間をあけると、相手は「はあ」とか「ウン」と言います。これでキャッチボール、お互いの会話になる。この段階でけっこうです、と断る人はいないので、あせらないことです。

一呼吸、相手が相づちを打てる間をあけてから「私、お世話になっております○○

と申しますが」と続けます。

ここでは、いまたいへん普及している太陽光発電を例にとってご説明しましょう。

「鈴木さまのお宅でも毎日ご利用いただいております、照明器具、レンジ、冷蔵庫、掃除機、テレビなどご利用いただく際の光熱費が、このたび、ちょっとしたご利用方法を変えていただくことで、大幅に減額になる、もしくはいままで以上に光熱費のことを気にかけずに照明器具その他を心地よくご利用いただけるシステムなどがいろいろございます。ただいま、奥さまお住まいの○町のみなさまにその資料をお届けがてら、現在の鈴木さまのお宅の場合でありますと、どういうご利用方法をなさってらっしゃるのか、ちょっとおたずね、もしくは拝見させていただきますとおおむねどのくらいの割引になるのか、簡単にご理解いただけると思うのですが、失礼ですが、奥さまはだいたいいつもご自宅のほうにいらっしゃいますんでしょうか」

ここまでのポイントは、太陽光発電とははっきり言わないことです。隠すのではないけれど、はっきり言えば、相手は断りやすくなる。わかったようなわからないような、太陽光のもたらすメリット、光熱費が安くなるというメリットを相手に伝えて、何となく得になるのかな、出費が少なくなるのかなと思わせる程度に話します。

もう一度申し上げますが、テレアポは電話営業ではなく、会う約束をとりつけるものです。売ろうとする商品のことを全部詳しく説明するなら、会う必要はないですね。**何となくこういうことかな、ああいうことかなという謎《なぞ》を残し、すべてを話さないことです。**

さて先ほどのトークの続きですが、お宅のほうにいらっしゃいますかと聞かれたら、相手はとまどいながらも「はい」と答える。もしくは「いいえ、○曜日はいません」などと答えます。もしもいつもいると答えた場合、「それでしたら奥さま、いまたま係員のものがその簡単な資料と、ささやかではございますが粗品を持って○町順番に回らせていただいておりますので、おそらくお昼ごろになるかと思いますが、そのころにちょっとお届けにあがらせていただきたいと思っておりますが、奥さま特別ご迷惑ではございませんでしょうか」と聞きます。

「行っていいですか」と聞くと、相手は断りますよ。やさしいイエス、相手が「はい」と答えやすい質問をぶつけるのです。こんなふうにちょっとよろしいでしょうか、と気楽に言われると、ほとんどの人は「あーはい」くらいは答えます。

そうしたら、「ありがとうございます。それではおそらく一時ごろないしは二時ごろまでになるかと思いますが、係のものが順番に回っておりますのでまいりました折にはどうぞよろしくお願いいたします」と電話を切ります。

……以上。

テレアポの段階でこういう商品です、初期費用が……と全部説明して、かたいアポをとろうとすると失敗します。かたいと思ったアポで玄関払い、もしくは居留守というケースも多い。もしくは会ってもすぐに断られる。何のためのかたいアポだったのか。かたいアポをとろうとして完全に説明して、時間もかけたのにいとも簡単に断られる。かたいアポと思ったのは、それは一瞬の錯覚です。

テレアポは会うための手段です。会ったあとが営業マンの腕の見せどころ。いかにその気に、断り切れない状況にもっていくか、それが営業マンの仕事です。

営業の命、アプローチが成功したら、それだけで、あなたの売り上げは二倍、三倍になります。アプローチが成功したら最後まで話ができ、そのうちの何割かは決まります。

紙面の都合上、すべての業種のトーク例をご紹介するには限りがありますが、いまあげた例を咀嚼《そしゃく》して理解していただけたら、どの業種にも応用できると思います。

アプローチを成功させるためのスタンバイ

ここまで、営業のなかでいちばん大事なアプローチについて説明してきました。しかし、実はアプローチよりも大事なのは、これからお話しする「スタンバイ」なのです。

スポーツであれ何であれ、本番よりも大事なのは練習ですね。本番は練習の結果、練習ができていないと本番でも勝てないからです。

営業でもいっしょです。

アプローチを成功させるためには、自分のテンションを高め、気分をもり立てねばなりません。それがこれからご紹介する「スタンバイ」です。

大事な大事なアプローチ。それを成功させる肝が「スタンバイ」です。この意味で、アプローチよりも百倍も大事なのが、「スタンバイ」なのです。

営業前の「スタンバイ」で自分のメンタルを整えよ

営業はメンタルな仕事です。

どんなに優秀な営業マンであっても、いまいち気分が乗らなければ、明るく元気のよい営業はできません。営業という勝負の場で、声で、迫力で、気合いでお客に負けてしまうようなことがあれば、簡単に断られてしまう。一日歩き回っても契約をとれずじまい。

そんなことがないよう、私は大げさではなく、生死をかけるような気で営業に臨むのです。営業のプロはすべての面でお客を上回らなければなりませんが、とりわけ、明るさ、元気のよさは不可欠な要素です。

誤解する人もいますが、営業マンとしての明るさや元気のよさは、断じて生来の性格によるものではありません。

いくら陽気な性格の人でも、前日にイヤなことがあってテンションが下がっていれば、明るく元気な営業をするのはむずかしいでしょう。逆にふだんは無口で陰気な人でも、方法さえ知っていれば、スイッチを入れたとたんにハキハキとした〝営業マンモード〟に切り替わることができます。

ふだんの性格はどうであれ、営業の場で「明るく元気な営業マン」になりきらねばなりません。

営業マンにとってもっとも大切なことは、自分自身のメンタルをコントロールすることです。スポーツでもそうですが、成功するためには事前の準備が大切です。準備ができていなければ、本番で勝てるはずがない。

そのために現役時代の私は、営業へ行く前に必ず三段階の「スタンバイ」を実践していました。

特許をとりたいほど強力なスタンバイ三か条

スタンバイの一つ目は発声練習です。

営業が「話す仕事」であることは、いうまでもありませんが、アナウンサーでも俳優でも、話すことをなりわいにしている人はだれだって発声練習をしますよね。

営業も同じこと。**声が小さかったり迫力がなかったりしたら、営業のオーラが出ません。これでは仕事になりません。単なる雑談で終わってしまいます。**

ところがこの発声練習の効果は絶大！

発声練習を、十分から十五分程度やるだけで、思わず相手に「まいった！」と言わせるような、聞きとりやすい迫力のある声が出るようになります。

やり方を説明しましょう――。

一、発声練習の前に、おなかから声が出るように、そして喉《のど》を痛めないために、腹式呼吸をやります。まずおなかに手を当てて、鼻で大きく息を吸い込みながらおなかをふくらませます。次に、吸った息を「ハァ〜」と口から出しながら、おなかをへこませる。これを五回から十回くらいやってください。

二、次は人気のないところか、車の通りすぎる騒音にまぎれて、左の「あ」行から「ら」行まで約十回、「あっ」「えっ」「いっ」「うっ」というように言葉をはっきり区切りながら、より速く発声してください。よりはっきりと、より速く、これがポイントです。

あえいうえおあお
かけきくけこかこ
させしすせそさそ
たてちつてとたと
なねにぬねのなの
はへひふへほはほ
まめみむめもまも
やえいゆえよやよ
られりるれろらろ

スタンバイの二つ目はフィーリングを高めることです。

順番をつけるのはむずかしいのですが、営業マンにとっていちばん大事なのはフィーリングだと私は思っています。

家族とケンカをした。上司に嫌味を言われた。こんなことがあると、気が乗らず、元気に営業などできませんよね。

「営業マンを殺すには刃物はいらぬ。嫌味の一つも言えばいい」——。それくらい、フィーリングは大切なのです。

朝起きて、イヤなことがあろうがなかろうが、そのまま営業先へ行って、いきなりハイテンションでお客に立ち向かうなんて、私にはとてもできません。スポーツ選手が準備運動をするように、営業にだってウォーミングアップが必要です。

だから私は朝家を出たら、すれ違う人全員にあいさつをします。

「おはようございますっ！」

「かわいいワンちゃん連れていらっしゃいますね！」

そして会社に着いたら着いたで、だれ彼かまわず話しかける。そうやって徐々にフィーリングを高めていくのです。

最初は恥ずかしいかもしれませんが、習慣にしてしまえばどうってことありません。

知らない人に話しかけるのは、人見知りを直す絶好のトレーニングになりますし、同僚だって、ブスッと無視されるよりは話しかけてもらえたほうがうれしいはずです。

とくに私は、瞬時に相手のいいところを探してほめてあげるようにしていますが、話しかけてイヤな顔をされたことなんてありませんよ。

話しかけることで、こちらもだんだん乗ってくる。**ある意味では、言葉は悪いですが、話しかける相手は私にとって、営業で勝利するための〝稽古台《けいこ》〟なのです。**

さらに、会社を出て営業先に向かう途中では歌をうたいます。歌は何でもかまいませんが、気分を盛り上げるために歌うのですからノリのいい曲がいいですよね。ちなみに現役時代の私は『月光仮面』や『赤胴鈴之助』のテーマソングを歌っていました。

これは効きます。天真爛漫《らんまん》な気持ちになって、どんなお客が出てきたってニコッと明るく笑いかけることができるようになる。さらに、身振り、手振りをつけるとより効果的です。まじめにやるのではなく、童心に帰って両手を使ってちょっと照れたようにやる。一応まわりに人がいないのを確認しますが、羞恥《しゅうち》心・恐怖心を取っ払うのに、一分とかかりません。こうして自分を乗せる。

そしてスタンバイの最終仕上げは「気合いの呪文《じゅもん》」を唱えることです。

現地に到着し、いよいよ客先へというときになったら、グッとこぶしを握りしめ、気持ちを込めて力強く三回唱えてください。

「好感のもてる熱っっっ心な営業マン！」

やった〝フリ〟だけではダメですよ。恥ずかしがっていないで、願いを込めて、ほんとうに口に出すんです。ぐぐぐぐぐーっ、と両手のこぶしを握りしめる！　これを三回やれば、気合いが入る。

「きょう一日、好感のもてる熱心な営業マンでいられますように！」

するとあら不思議、声に体に、全身に力がみなぎってくるのがわかります。

どんなに売れない営業マンでも、発声練習と歌と呪文、この三段階のスタンバイを実践すれば営業のオーラがぐっと深まっていく。絶対に保証します。

私自身、現役時代にこのスタンバイを編み出してからは一日も欠かさず実践していました。これがなければ、私はお客との戦いに勝つ自信なんて全然ありません。私はとても臆病《おくびょう》なんです。断られて自信をなくすのがイヤなんです。スタンバイなしで営業に行けと言われても、断ります。

もし「加賀田式セールス」のノウハウのなかで何か一つ特許を申請するとしたら、この三段階のスタンバイを選ぼうと思っているくらい、私はこの準備運動に絶大な自信をもっています。あなたもぜひ、きょうから試してみてください。

さあ、三段階のスタンバイでメンタルを整えたら戦闘準備は完了です。

準備万端で、先ほどの続きにまいりましょう。

(2) 人間関係

将を射んと欲すればまず馬を射よ

最難関ともいえるアプローチをクリアすると、九九%の営業マンはいきなり商品説明に入ろうとします。お客がまだ聞く準備もできていないのに、まだ警戒心やぎごちなさが抜けていないのに、勝手に本題に入ってしまいます。これでは単なる物売り、説明屋さんです。

そして、簡単に断られてしまう。もっともおろかなパターンです。

本来はどうすべきかといえば、「将を射んと欲すればまず馬を射よ」というように、本題に入るための土台をつくらなければなりません。

すなわち、人間関係の構築です。これをすっとばして、いきなり商品説明を始めたところで、見ず知らずの営業マンの話なんてだれが聞くもんですか。

アプローチの次はお客とのコミュニケーション――。

商品を売る前に自分を売れっ！

これが営業の鉄則です。

人はみな〝重要感〟に飢えている

相手と瞬時によい人間関係を築くにはどうすればいいのか――。

いちばん手っ取り早い方法は、相手を幸せな気分にしてあげること、心地よい気分にしてあげることです。幸せにしてあげる方法はいっぱいありますが、そのなかでもいちばん効果的なのが、相手の長所を発見して、好意をもって話すことです。人が好意をもっていることは相手に伝わります。だから、人と接するときに最初にすることは、まずは相手のいいところを見つけて、好きーっと思うことです。

さらに、相手が関心をもっていること、自慢に思っていそうなことを話題にします。人の心理はみんな同じ、老いも若きも〝重要感〟に飢えています。自分では意識していないだけで、人から好かれたい、よく思われたい、チヤホヤされたいと、〝重要感〟を求めて生きています。子どもがかわいいのは、親に甘えて、頼ってくれるからです。新婚のカップルが幸せなのは、お互いがお互いを大事に思って、求め合うからです。

相手を瞬時にハッピーにするには、相手の〝重要感〟を満たしてあげることが大切なのです。

だから営業マンはお客の〝重要感〟を満たしてあげるために、相手がふれてほしいであろう話題にふれてあげるのです。売らんがためではなく、とにかく人に会ったら仕事であれ仕事以外であれ、相手が興味をもっていること、自慢に思っていることをぱっと聞いてあげること、これが人としての思いやりだと思います。そうすればその瞬間、ばちっとお互いの波長、気持ちが通じ合う。いい人間関係ができあがります。

「初対面のお客がどんなことに興味をもっているかなんてわからない……」

そう思う人もいるかもしれません。しかし、まわりを見渡せばヒントはいくらでも転がっています。

見るもの、聞くもの、ふれるもの、すべてを利用すべし

たとえば一般の家庭を訪問した場合、玄関に花が飾ってあったとする。どうしてそんな場所にわざわざ花を飾るのかといえば、訪れる人に見てもらうためでしょう。

「素敵なお花ですね」

そう言われるのを待っているのでしょう。そこに気づいて話をふってあげるのが営業マンの思いやりというものです。

あるいは家の奥からオギャーッという赤ちゃんの泣き声が聞こえてくるかもしれません。お客はあわてて赤ちゃんの様子を見に行こうとするでしょう。ここで黙ってい

たら、お客に逃げられてしまいます。だから、こういうときは先手必勝。

「あっ、赤ちゃんいらしたんですか！　よかったらあとで見せてください」

これを断る親はいません。おしめを替えたあとで赤ちゃんを連れて戻ってきます。

そうしたら、ひたすら赤ちゃんを話題にする。

「奥さん、当ててみましょうか。この子は女の子ですね」

もちろん赤ちゃんの性別なんて私には一目見ただけではわかりません。でも「女の子ですね」と言っておけばまちがいない。女の子を男の子にまちがえられたら親はムッとしますが、男の子を女の子にまちがえても気分を害しません。

「うちの子はそんなにかわいいかしら〜」

親はそう思う。だから女の子と断言しておけばいいのです。

ほかにも一般家庭には車や装飾品など、話題にできるものはいくらでもありますね。ペットがいればペットについて聞けばいいし、奥からおばあちゃんが出てきたらおばあちゃんに話しかけて味方につければいい。


見るもの、聞くもの、ふれるもの、すべてを利用するのです。

訪問販売以外の営業も同じです。

企業を訪問したら、応接間の調度品や従業員の態度のよさについてふれればいい。味も素っ気もない商談室に通されたら、商談相手が身につけているネクタイや腕時計を話題にすればいい。

とにかく相手が興味をもっていそうなものを瞬時に見つけ、それを題材にしてコミュニケーションを深めていくのです。

私の場合、一つで終わりではありませんよ。見える範囲で三つあれば三つ、四つあれば四つ、次から次に口にします。もう相手はいい気分になって、空中高く舞い上がります。

人間の「服従快感」を刺激して抵抗力をなくせ

お客と良好な人間関係を築いたところで、すぐさま売り上げに結びつくわけではないと考える方もいるかもしれません。

しかしそれはまちがいです。

人間には「服従快感」というものがあるのをご存じでしょうか?
自分を上手にリードしてくれる人や、自分のことをわかってくれる人、認めてくれる人には喜んで従いたくなる心理を私はそう呼んでいます。「士は己を知る者のために死す」という言葉もあるように、自分を理解・信用してくれる相手のためには死んでもいいいと思える。

言い換えれば、自分をハッピーにしてくれる相手に対して人は抵抗できないのです。

人間、満ち足りた気持ちになれば穏やかになります。相手を幸せにしてあげると、もうその人は邪険に断ることはできなくなります。だからこそ営業マンは、お客の抵抗力をうばうためにも、この「人間関係」の段階をおろそかにしてはならないのです。

営業マンというものを知り尽くしている私だって、いざ自分がお客の立場になれば、この「服従快感」に打ち勝つことはできません。

ほめるよりも「質問」しなさい

このように、相手をハッピーにさせてあげることが大切です。

しかし相手をほめることは意外にむずかしいし、一歩まちがえば逆効果になってしまいます。

「どうせお世辞を言っているんでしょ」

「なんだかうさんくさいな」

そう思われたら一巻の終わり。何をどうほめようが悪意にとられてしまいます。

ならどうすればいいかといえば、相手が興味を抱いていそうなものごとについて「質問」するのがいいのです。**質問は、直接的にほめるよりも百倍も効果があります。**

たとえば相手が高級そうなバッグを持っていたら、「うわっ、いいバッグをお持ちでいらっしゃいますね」ではなく、「失礼ですが、そのバッグはどちらのブランドのものでしょうか?」と質問する。そうすれば相手は、待ってました! とばかりに話しはじめます。

人間の心理はみんな同じ。自慢話をするのは快感なのです。自分の興味のあることを話すのが、いちばん気持ちいいんです。けれども自分からベラベラとしゃべるのはみっともないと知っている。だから、相手から聞かれるのをいまかいまかと待っているのです。

それなのに、たった一言「いいバッグをお持ちですね」だけでは、「そう？　ありがとう」で終わってしまいます。相手もけっして悪い気はしないけれど、それほどうれしくもない。なぜもっと聞いてくれないのかと、お客は不完全燃焼です。

だから営業マンはどんどん質問をすべし。

どこで買ったのか、どうしてこれを選んだのか、いくらしたのか。

それに答えるときが、相手はいちばん快感なのですから……。

昔から「話し上手は聞き上手」という言葉がありますが、「聞き上手」とはどういう意味でしょう？　だれかが話すのを聞き役に回って、ウンウンと相づちを打つのが聞き上手ではありません。

聞き上手というのは、相手が話したいであろうことを、こちらから上手に質問して、相手にしゃべらせてあげる。これがほんとうの聞き上手、質問の名人です。

こうしてお客との人間関係をしっかり築くことが、営業マンにとっては成功への絶対条件なのです。

以下、良好な人間関係を築くうえでの具体的なトーク例をご紹介していきましょう。

人間関係トーク①　玄関の置物をほめる

営業　（自己紹介が終わったあと、すかさず玄関先に置いてある人形を見て）あっ、奥さん！　これ何ですかっ？

お客　え、人形ですけど。

営業　いや、人形だと私も一目見てわかりましたけども、あんまりそこらで見たこともないようなお人形でございましたから、これは失礼ですが、どちらでお買い求めになられた、どういういわれのお人形なんでしょうか？

お客　いえ、実は私がつくったものでして。

営業　あらっ、奥さんがおつくりになられたんですか！　奥さん、ひょっとしてこれをおつくりになられるのが、お仕事とか、そういう先生でいらっしゃるとか……。

お客　いえ、私は趣味で習っているだけなんですが……。

（以下、人形づくりに関して材料や製作時間など、根掘り葉掘り質問攻め）

【解説】

どんなお宅でも、玄関先には何かしら装飾品が置かれています。思い入れがあったり、だれかにほめてほしいと思って、あえて目につく場所に置いているのです。でも、普通はだれもそんな置物なんて目にとめません。だれも何も言いません。奥さんは悲しい。

だから営業マンは、それについてトコトン聞いてあげましょう。平然と、淡々と聞くのではいけません。目玉をひんむいて「ええっ！」とオーバーなくらいのリアクションで聞くんですよ。

そうしたら相手は大喜び、大げさだな、わざとらしいなと思う人はだれもいません。こちらが営業マンであることも忘れてしまいます。「ひょっとして奥さん、まだお家の中にもっとほかにもおつくりになったのがあるんでしょうか？」「ええ、いっぱいあります。どうぞ上がって見てください」となりますよ。立ち話より座ったほうが何倍も効果があります。

もちろん手づくりの品じゃなくてもかまいません。旅行先で買ったと言われたらその旅行について聞くなど、話のふくらませ方はいかようにもなります。

人間関係トーク② 子どもの話をする

ファミリーのお客を相手にするときは、子どもに話しかけたり、子どもを話題にしたりするのもいいですね。親からすれば子どもは自分と一心同体ですから、子どもにかまってあげれば親も喜んでくれます。

営業 あらっ、ボクこんにちは。
子ども ……。
営業 こんにちは。
子ども ……。
営業 あらっ、ボクおりこうねえ。ボク、いくつ？
子ども （無言で指を出す）
営業 あら三歳なの、大きいねえ。

【解説】

これは、親が別のことをしている間、子どもに話しかけている場面です。もちろん親は近くにいて、耳をそばだてて聞いていますから、子どもと向き合いながらも親の反応を意識して会話をしなければなりません。

小さな子はたいてい、こちらが「こんにちは」とあいさつをしても、キョトンとするばかりでうまく返事をすることはできません。そこに「あらっ、あいさつできないのかな」なんて言ったら、近くで聞いている親はガッカリします。

だから子どもが返事をしようがしまいが、「おりこうねえ」とほめてあげる。そうすれば親は、うちの子は上手にあいさつができたようだと解釈して喜びます。

また、小さな子に「いくつ?」と聞けば、ほとんどの場合は指を折って答えます。でも子どもの指なんてアテになりません。二を示しているのか、三を示しているのか判然としないことも多い。そんなときは迷わず「上」をとりましょう。二歳か三歳かよくわからないなら三歳だと断定するのです。

もちろんこれも、親の耳を気にしてのこと。子どもが実年齢よりも幼稚に見られたら、親は失礼なと憤慨しますが、上に見られたなら「うちの子は成長が早くてしっかりしているから」と満足するのです。**絶対に上に見る。これが鉄則です。**

そのあと子どもに親を呼んできてもらいます。**出てきた親はもうニコニコ。営業マンに対する不信感、ぎこちなさはもうどこにもありません。**

ほかにも、おばあちゃんが出てきたら若さをほめてあげる。犬を連れていたら犬の話題にふれる。実際、昔私が訪問したお宅で犬の話を聞いているうちにぼろぼろと号泣したお客がいました。前の犬が死んでしまって悲しくてしかたがなかったけれど、新しい犬が心を癒《いや》してくれている、そんな話を聞いてくれる営業マンなどこれまでいなかったのです。お客の心が温まり、和むのです。

こうしてお客との人間関係ができあがります。

人間関係トーク③　腕時計をほめる

企業を訪問する場合、相手が社長であれば、一般家庭のケースと同じように社長室の装飾品をほめるのもいいでしょう。たいてい社長室や応接室には立派なソファやトロフィー、表彰状などが飾られています。

しかし、無機質な商談室が舞台である場合は、相手の持ち物に注目します。

営業　（商談室に通されて、椅子に座った瞬間に）あっ！
お客　何です？
営業　あの社長、まこーとに失礼ですが、いま私、こちらにお邪魔させていただきまして、真っ先に目に飛び込んでまいりましたのが、その社長さまの、あの、その……。
お客　（ん？）
営業　あの、その、と、と、時計！　その時計、まあ見たこともないような時計でございますけども、失礼ですが、どちらのメーカーの時計でございましょうか？
お客　ああこれね、これはピゲ。
営業　ピゲ！　社長、ピゲって何ですか!?
お客　ピゲというのはねきみ、世界で一番高い時計でね……（説明が続く）。
営業　失礼ですが、それは材質は何でできているんですか？
お客　ホワイトゴールドかな。
営業　ホワイトゴールド！　社長、ホワイトゴールドっていうのはその……。

お客　うん、だからね……（説明が続く）。

【解説】

この会話にはいくつもの重要なポイントが含まれています。

まず話を切り出すタイミングは、椅子に座ろうとして、椅子に尻《しり》がついたかどうかのタイミングで「あっ！」です。この「あっ！」が言えたら、いまからどんな話を始めるのか、主導権は完全にこちらのもの、お客に勝手にしゃべらせません。

そのあとの「まこーとに」のときは顔を上げず、重大そうに言う。相手の全神経はこちらに集中します。

さて、いきなり「あっ！」と言われたら、この営業マンはいったい何を言おうとしているのか、相手は気になってしかたがありませんね。でも簡単に「その時計ですけど」とは言わない。「あの、その……」とじらしたほうが相手はよけいに聞きたくなるからです。そこでようやく「時計！」と、相手がいちばんふれてほしいであろう話題に入ります。

そこからは人間関係のセオリーに従って、あれこれと質問攻めにしていきます。ここで大事なのは、相づちの打ち方です。

覚えておいてください。

もっとも無難で、もっとも効果的な相づちは「オウム返し」です。

「ピゲ」と言われたら、知っていてもいなくても「ピゲ！　ピゲって何ですか」と返す。そうすれば相手は「ピゲ」について存分にしゃべることができます。

それを、相手が「ピゲ」と言っているのに、「そうなんですか。ところでこの材質は……」と次の話に進んでしまっては相手に何となく不満が残ります。お客は「コイツわかっとるんか？　ピゲやぞ、そこらのメーカーとは違うんやぞ」とちょっと不機嫌になったりする。

だから営業マンはオウム返しで質問して、相手に心ゆくまでしゃべらせてあげましょう。

そして最後の最後に聞くのは「お値段」です。結局のところ相手はこれがいちばん言いたいんです。値段を自慢したくてたまらないんです。みんないっしょです。

もちろんそれはイヤらしいことですから、自分からは言わないし、最初は「いや、安物ですよ」と答えるかもしれません。でも、まちがっても「あ、そうなんですか」

と真に受けてはダメですよ。

「いや、社長、社長のおっしゃる安いと、庶民の考える安いとはレベルが違うと思いますが、社長がおっしゃいますその安いというピゲのお値段は、あの、その、おいくらぐらいでございましょうか」とこう聞けば、最終的には必ず値段を言います。

ここまできたら、ペースは完全にこちらのもの。**相手は存分に自慢話ができて有頂天だし、知らず知らずのうちに「断りきれない状況」ができあがりつつあります。**

考えてもみてください。ウン百万の時計をさんざん自慢したあとで商品をすすめられたら、「高いから買えん」とは言えないですよね。

時計一つで終わらせず、ゴルフバッグやベルトのバックル、トロフィーなど、とにかく目についたものはすべて利用し、たたみかけます。

人間関係トーク④　サクセスストーリーを聞く

会社の社長や商店の店主など、一国一城の主《あるじ》を相手に人間関係を築く場合は、身の回りのモノをほめる以上に効果的なものがあります。

それは、相手のサクセスストーリーを聞いてあげることです。

営業　社長、失礼ですが、こちらの社屋はずいぶん年季が入っているようでございますけども、そもそもいまからさかのぼること何年前、社長さんが何歳のころに、どこで、どういうきっかけで最初にご商売を始められたのでしょうか？

社長　ん？　いや、それはね……（話す）。

営業　そうですかーっ、二十一歳で独立なさったんですか！　何人でですか？

社長　まあ最初はねえ……（話す）。

営業　じゃあ社長、はじめて新社屋、はじめての自分の城を建てられたときは、さぞ感無量でございましたでしょうねえ。社長、そのときのこと覚えていますか。奥さんが何ておっしゃったか、その日に何があったか覚えていらっしゃいますか？

社長　そりゃあ忘れるもんですか。何しろね……。

【解説】

こんなふうに聞いてあげたら、もう社長の話は止まりません。延々と話しつづけます。途中で電話が入ろうが、来客との約束の時間になろうが、「あとで、あとで」と追い払って席を離れません。

成功者は、人にサクセスストーリーを聞いてもらうのが大好きなのです。

そして極めつきはこの質問。

「では社長。この道一筋でここまで成功なさった、その社長さまの成功の秘訣《ひけつ》は、一口で言うと何でございましょうか？」

これがクライマックスです。ここまで聞いてあげたら社長はもう大満足、なかには感極まってボロボロ泣き出す方もいるんですよ。

手相・人相でお客との距離を一気に縮める

突然ですが、あなたは手相・人相を信じますか？

私は信じます。手相・人相はほんとうによく当たります。

私は若いころ、成功したい、金持ちになりたい、人の心を自在にあやつりたいという一心で、読心術や心理学、そして手相・人相を徹底的に勉強しました。これに関してはプロ並みの知識をもっていると自負しています。

この手相・人相が、お客と人間関係を築く際にたいへん役立ちます。

なぜなら人間はみんな、自分のこと、あるいは自分の子どものことにいちばん興味があるからです。そのいちばん大事な自分や子どもの運命を、手相・人相で見てあげる。相手自身のことにふれてあげる。すると、たちまちバッチリな人間関係ができるのです。瞬時に初対面のぎごちなさがなくなり、こちらに心を許してくれます。

まずどうするかというと、いきなり手相を見せてくださいというのは不自然ですから、目の前に見えている人相から入ります。

営業　わあー、奥さん、この子いい鼻してますねえ。
お客　あら、あなた人相見られるんですか。
営業　何を隠しましょう、私、手相・人相は得意中の得意でして。ちょっとボク、見せてごらん。

こんなふうに意味深に言えば、お客は必死になってわが子の手を私の目の前に突き出します。家の奥から赤ちゃんまで連れてきます。

そうしたら、そこからは私の独擅場《どくせんじょう》。

私が手相を見て過去を当てる、現在を当てる、未来のことも教えてあげる——。なかでも重要なのは過去や現在ですね。知らないはずの事実をピタリと当ててみせれば、お客は私に全幅の信頼をよせます。単にいい人間関係ができるだけではなく、「この人は信用できる」となるのです。

もう長々と商談なんてしなくても、要点さえ話せばすぐ決まりますよ。

もちろん私はウソは申しません。だから相手の顔を見て、いい相でなかったら手相・人相の話は出しません。いいときだけ言うのです。こうして相手の重要感を満たし、幸せにしてあげるのです。

このテクニックはある程度の知識がなければ使えませんので、本書では人相学の、ほんの入門部分だけご紹介しておきます。興味をもたれた方はどうぞ、専門書などで勉強なさってみてください。

【人相でわかるその人の運勢】

耳　耳が大きい「福耳」は幸運に恵まれる。
あご　あごが発達している人は成功する。
鼻　小鼻がふくれている人は情熱家で器用。
目　目と目が離れている人は計算高く賢い、つり目は勝ち気、たれ目はやさしい。

ただし、ものごとはすべて表裏一体です。いい面だけを強調して言いましょう。ちなみに手相の場合は、どの線も太くて長いほどいいといわれています。

(3) 必要性

商品説明を急ぐな！

さて、人間関係トークでお客の警戒心がほぐれてきたら、次にくるのはいったい何でしょうか？

商品説明ではありませんよ。商品説明はまだ早い。その前に商品の「必要性」を訴えるのです。

とかく世の中の営業マンは一刻も早く本題に入りたがります。「これはこういう商品です……」というのをやりたがる。

しかしあなたがいくら感じのいい営業マンであっても、お客は興味もない商品の説明など聞きたがりません。何度もいうようですが、それでは単なる物売りです。相手のためをまったく考えていない。

だからまずは、商品への興味をかきたてるために、その商品の必要性をお客自身に「気づかせる」のです。

お客に〝喜びと恐怖〟を与えよ

私は商品について一分説明を受ければ、どんなものでも即決で売ることができます。

何かの商品をすすめるということは、相手はいまそれをもっていないけれども、今後のためにもっていたほうがいい、と訴える状況ですね。その商品がつくられたのは、ないよりはあったほうが何かしらメリットがあるからです。ですから、使わないよりも使ったときのメリットを強調してあげるのです。いまもっていないことのデメリットを気づかせてあげたらどんな品物でも売れる。いままでは何とも思っていなかったけど、実はものすごい損をしている、ということを気づかせてあげるのです。

ほんとうは教えたくないのですが、私がどんなモノでも売れる理由、そのタネを明かせば、このメリットとデメリット、プラスとマイナスという考えにたどりつきます。

一分間その商品のもたらすメリットを聞けば、地球上のどんな品物でも売ることができる。私が一分で売るという意味がわかっていただけたでしょうか。

さて、買い物であれ、仕事であれ、遊びであれ、人間が何かをするのはメリットを得て、デメリットから逃れるためです。これ以外の動機なんてありません。

たとえば女性がお化粧をするのはなぜか。「きれいだな」と思われるメリットを得て、「うわっ、ひどい顔」と思われるデメリットを避けるためでしょう。私が酒をやめたのも、健康というメリットを得て、病気というデメリットから逃れるためです。

このメリットとデメリットを、私は〝喜びと恐怖〟と呼んでいます。

人間、それをすることで得られる喜び、しないことで感じる恐怖が明確であったら何でもします。わが子を思いどおりに育てたい、夫や妻に言うことを聞いてほしいと思ったら、やかましく言わず、〝喜びと恐怖〟をはっきりさせてあげるのです。

そして営業マンが商品の必要性を訴えるときも、お客にこの喜びと恐怖を与えればいいのです。

この商品を手に入れたら、どれほどの喜びがあるか。いまこれを買わなければ、どんな恐怖が待っているか。それをお客に伝えるのです。

たとえば住宅の営業だとします。

マイホームを手に入れれば、どんないいことがあるでしょうか。いま賃貸住宅に暮らしている人は、家賃を払いつづけていますね。しかし、払い捨てで自分のものにはならない家に家賃を払いつづけるほどバカらしいことはありません。自分のものにはならないうえに、壁に穴を開けたりリフォームすることも自由にできないという不自由さがあります。これらの〝恐怖〟を再認識させてあげる。一方、喜びは恐怖と表裏一体。マイホームを買えば払い捨ての家賃はなくなり、自分の自由に住むことができます。いまはそんなマイホームが家賃と変わらない金額で買えますよ……。

これが、必要性の伝え方です。

ここで一つ復習をしましょう。

営業マンがお客に喜びと恐怖を訴える際、どのように話をするのがもっとも効果的でしょうか？

——第1章でお話ししたように、お客に質問をし、お客自身に「気づかせる」のです。けっして自分から「家賃を払うのはバカらしいですよね」と言ってはいけません。

この必要性の段階で、骨の髄までわかるように、ありとあらゆる質問をして喜びと恐怖に気づかせます。いままで家賃はどれくらい払ってきたのか。いまにして思えば、もったいなかったなと思うか、あるいは一生の夢であるマイホームが手に入ったらどんなに幸せな気持ちになるか、どれほど自信と活力が出てくるか、家庭菜園はしたいか、できたらどういうつくりにしたいか。これでもかこれでもかと、喜びと恐怖を思い込ませ、相手を完全にその気にさせてから、どうぞ、と部屋の案内に入ります。

だから私が「どうぞごらんになってください」と言ったときには、お客はもう〝落ちて〟います。早く喜びを得たくて、早く恐怖から逃れたくて、家の中を見る前から買う気満々です。

多くの営業マンは、お客が来たらすぐに「ここが六畳で」「ここが子ども部屋で」と、すぐに商品説明、本題に入ります。何のために家を買わなければならないか、という必要性を説明しない。だから、売れないのです。

お客に〝喜びと恐怖〟を与えるトーク例

もう一つ例をあげましょう。たとえば小学校低学年のお子さんをもつ母親に学習図書をおすすめするときは、こんなふうに話します。

「奥さん、勉強でいちばん大事なのは小学校低学年です。1足す1は2とか、低学年はだれでもできると思いますでしょう。ところがね、奥さん、いまできるからといって放っておいたら、だんだん遊びのほうに夢中になって、勉強しなくなるかもしれません。勉強しなくなったらわからなくなる、わからなくなったらおもしろくなくなる、おもしろくなくなったら、もう勉強なんかしませんよ。悪循環ですって。それでね、奥さん、おたずねします。小学校一年生から大学四年生までいちばん大事なのは、いつだと思われますか？——そう、小学校一年生ですよね。じゃあ二番目は？——そう、二年生。ものは順番で、いまの時期がいちばん大事なんです。勉強が好きになるか、嫌いになるか、いまこの時期で決まるんですよ。じゃあどうしたら好きになるか。奥さん、どうして好きになるか、もうおわかりですよね？——ええ、勉強は、ちゃんとできたら好きになります。みんなからほめられたら、うん、私は天才だって、だんだん暗示にかかります。そうしたら、もうするなって言っても勉強しますよ。じゃあこの大事な時期に、具体的にどんなふうに勉強すればいいかですけども……」

こうやってじわじわ〜っと〝喜びと恐怖〟を与えていけば、こちらがカタログを出さずとも、お客は自ら見せてくださいと言い出します。

たとえば家電量販店でテレビを売るときなんかもいっしょです。

「いまお使いなのも立派なテレビですね。ですが、ずっと見ていたら目が疲れませんか？　こちらの新しいテレビは、目が疲れない、きれいな○○画素のものなんです。大好きなスポーツ中継も、もっと快適に見ることができると思われませんか？」

と新しいテレビを買うメリットに気づかせてあげるのです。

プラスとマイナスでストーリーをつくる

こうした必要性のトークは商品によって千差万別ですから、読者の方に一言一句マネしていただける例をあげることはできません。しかし基本はすべて同じ、メリットとデメリット、プラスとマイナスでストーリーをつくればいいのです。

たとえば、私はあした転勤するという人にマンションを売ったことがあります。普通、転勤する人が家を買おうとは思いませんよね。このときは、「投資」というプラスの面を前面に押し出しました。オーナーになることの喜び、そしてこの場所で家を買えるのは、転勤前の最後のチャンスだと。そして、どうせ投資するならば早くしないと損だというマイナス面を強調します。これで即決です。

あなたもぜひ、自社の商品を買うことで得られるメリットと、買わないことで直面するデメリットでストーリーをつくってみてください。それがすなわち、あなたの「必要性トーク」になるのです。

必要性を話すまでカタログは出さない

必要性を訴えるにあたっては、いくつかポイントがあります。

まず、お客が必要性を理解するまではけっしてカタログを出さないこと。ほしくもない商品のカタログを見せられても、お客は見向きもしません。無理やりカタログを見せられるのと、自分から見たいと思って見るのと、どちらが効果的かはいうまでもないですよね。

もう一つは、お客と一メートル以内の距離で話すこと。これは必要性を話すときだけではなく、以後の商品説明からクロージングまで、商談の間中ずっとです。頭を突き合わせるほどの距離で、身を乗り出してしゃべりましょう。

人間というのは、相手との距離が遠のくほど集中力がなくなります。営業マンが遠くでしゃべっていたら、お客は「どうやって断ろうかな……」などと違うことを考えはじめ、こちらの話を聞かなくなります。

ところが一メートル以内ならどうか。文章ではピンとこないかもしれませんが、実際にだれかと一メートル以内の距離で話してみてください。しかも相手は迫力満点の大声で、身を乗り出して熱心に話していると想定してください。そうなったらもう相手の目を見て、相手の話に耳を傾けるしかないでしょう。

商談ではノートを活用しよう

最後のポイントは、ノートを活用することです。これも必要性の段階だけではなく、商談の間ずっと心がけてほしいことです。

口頭で説明するだけでは、お客は何となくしか理解できません。

たとえばいますぐ家を買ってローンを払いはじめるのと、五年後に払いはじめるのとでは、どれほどの違いがあるのか。口頭で金額を言われたり、払い終わりの時期を説明されたりしたところで、なかなか実感がわかないでしょう。

しかしノートを広げ、お金の計算式やローンを払う期間のグラフなどをざっと描《か》いてあげれば一目瞭然、「うわっ、こんなに違うんだ〜!」とお客も理解します。

あるいは、いま家を買うメリットと買わないデメリットについてお客に質問し、お客自身が答えたことをノートに箇条書きにしていくのもいいでしょう。

何よりも、こちらがノートを広げて何かを書き出したら、お客は必ずのぞき込みます。営業マンの話に集中します。

こんな簡単なことでお客の反応はぐっとよくなるのですから、やらない手はありませんよね。ノートは営業マンの必須《ひっす》アイテムです。

（4）商品説明

売れない営業マンほど商品説明が長い

前にもお話ししたように、私の現在の仕事は営業セミナー講師ですが、頼まれて実際にモノを売ることもめずらしくありません。営業セミナーをした先の社長から、「先生、こういうモノが売れ残って困っているんですが、売っていただけませんか。うちの社員にお手本を見せてやってください」と言われるんですね。

ときには見たこともない商品を売ってくれと頼まれることもありますが、私は二つ返事でOKです。どんなモノでも売る自信がありますから、売れ残っている理由なんて聞きません。事前に商品についての勉強もしません。せいぜい一分くらい商品の特徴を説明してもらったら、その足で現場へ行って、ほとんどの場合は即決で売って帰ってくる。

なぜそんなことができるのかといえば、商品説明の前段階、つまり必要性の段階で勝負を決めてしまうからです。その商品がどういうものかを説明するのではなく、その商品を買えばどんな喜びがあるか、買わなければどんな恐ろしいことになるかを教えた段階で、お客はすでに買う気になっているからです。

細々とした性能をくどくど説明するよりも、その商品にまつわる〝喜びと恐怖〟を見つけ出し、お客に気づかせることのほうが何倍も効果的なのです。

とはいえ、やはり商品説明も非常に大切です。一般家庭では少ないかもしれませんが、法人営業などの場合は向こうから説明を求められることもありますね。

ところが世の中の営業マンは、商品説明に命をかけているわりには、泣けるほど商品説明が下手くそです。

なかでもダメなのは、自分が知っていることをすべて話そうとする営業マンです。

「このバイクは何馬力で、従来のものよりタイヤの幅が何センチ広くて……」

「この住宅は、ここが六畳間になっていて、出窓がついていて、収納もあって……」

あなたがお客だったら、「だから何なんだ」と言いたくなりませんか？

だいたい売れない営業マンほど商品説明が長いんですよ。なぜかといえば、ほかに言うことがないから。

だから、長々と意味もなく商品説明を続けるのです。ひどいのになると、お客にカタログを見せながら、そこに書かれていることを読み上げるだけの営業マンもいますよね。

これでは失礼ながら、愚の骨頂です。

そんなふうに商品説明をしたって、お客には何も伝わりません。その商品説明で何を言いたいのか、営業マンがいま話していることのどこが大事なのか、お客にはサッパリわかりません。

あなたにも身に覚えがないでしょうか？

事実ではなく「意味」を説明せよ

それでは本来、商品説明とはどのように行うべきなのかといえば、事実ではなく「意味」を教えてあげるのです。「こういう機能がついています」という事実ではなく、そこに機能がついていることの意味、その機能があることによってどんなドラマが生まれるかをイメージさせるのです。

住宅営業を例にとってご説明しましょう。

お客を住宅に案内したら、私はまずこう言います。

「この外観、パッとごらんいただいて、第一印象どうお思いでしょうか？」

お客は聞かれた手前、「いいですね」とか何とか答えますね。

そうしたら、こうたたみかけます。

「普通とは違うでしょう。ちょっと変わっていますでしょう。何が変わっているかって、たとえばこの扉、普通の扉にはこんなガラスのスリットがついていませんよね。この扉一枚でもピンキリなんですよ。ところでこの部分、すりガラスになっていますでしょう。失礼ですけど、奥さん、ご主人、このすりガラスのスリットは何のためにあると思われますか？」

聞かれれば、お客は何か思いついたことを言うでしょう。

「そうですよね、まずおしゃれ。あとは？──そう、明るい。ここから家の中の光がもれて周囲が明るくなりますね。このスリットにはね、奥さん、ご主人、すごい意味があるんですよ。ご主人が帰宅される時間には、もうあたりは真っ暗でしょう。もしかしたら奥さんも照明を消しておやすみになっているかもしれません。でも奥さんの小さな気遣いで豆電球一つつけておいていただいたら、その明かりがこの扉のスリットからもれて見える。仕事でヘトヘトに疲れて帰ってきたご主人にとって、その明かりがどれだけうれしいことか！　実際にお住まいになられたら、これがいかにすばらしいか、ご実感いただけると思いますよ。それからね、奥さん、この屋根のここですけどね……」

私は一つひとつ、こうやって商品の「意味」を説明していくんです。もちろんときおり、お客に質問を投げかけてキャッチボールをすることも忘れません。こうやって意味を説明すれば会話は大いに盛り上がり、お客の買う気も高まっていきます。

くれぐれも、先ほどの例のように「ここが六畳で」「ここが子ども部屋で」と事実だけを並べるのはやめましょう。

カタログは営業マンが見るためのものではない

商品説明の段階では、お客にカタログを見せながら話すことも多いですよね。

大部分の営業マンはまたしてもここで失敗します。

机に向き合って座っているとしたら、机の真ん中、ちょうど自分とお客の中間地点にカタログを置いてしまう。

なぜだっ！　と私は問いたい。

カタログは営業マンが見るためのものではないですか？　お客に見せるためのものでしょう。

だったらお客の目の前に置けばいいではないですか。距離は、相手の顔から約三〇センチ。しかも、ただ机にポンと置くのではなく、お客が見やすいようにグッと立てかけてあげればいいではないですか。

カタログをお客の目の前に差し出し、営業マンの手で立てかけて見せてあげれば、自然とお客との距離をつめることができます。そのうえで、重要な部分を指さしながら説明する。目の前でこれをやられたら、お客はもうカタログから目をそらしたくてもそらせません。完全に営業マンのペースです。

カタログの使い方一つをとっても、売れる営業マンと売れない営業マンとではここまで違いがあるのです。

商品説明の前に「言質」をとれ

高額商品などの場合、私は必ず言質《げんち》をとるようにしています。

ここで一つ〝魔法〟をお見せします。

お客に商品の必要性を十分にわかっていただいたら、商品説明の前に軽い感じでこんなふうに言っておきましょう。

「社長さまもお忙しいと思いますので、私はいまから簡単にご説明させていただきたいと思います。それをお聞きいただいて、おお、そういうことかと、それはおもしろそうだと、試してみる価値があると、もしそうお思いいただけましたら、そのときは一つ前向きに、思い切ってご検討、ご決断いただきたいと思います」

「それではご主人、奥さん、どうぞ現地をごらんください。私もわからんことは申しません。いまからごらんいただいて、気に入らなかったら断ってください。もしも、気に入っていただけたら、前向きにエイッと思い切ってください。ではどうぞ！」

――私がどんな魔法をかけたか、おわかりになりますか？

お客から言質をとったのです。言質、つまり言葉の約束ですね。さりげなく「気に入ったらご決断ください」と約束をとりつけたわけです。

普通、お客は住宅など高額商品を見に来たとしても、その日にその場で決めようとは思っていません。しかし「気に入ったらご決断ください」と、この一言を伝えておけば、お客は心構えができます。気に入るかどうか見てやろうじゃないか、気に入ったら買ってやろうじゃないかと、そういう気になります。

あらかじめ言質をとっておくのとおかないのとでは、その後の商談がまるで違ったものになってくるのです。

(5) テストクロージング「いかがでしょう?」とは絶対に言うな!

商品説明が終わると、普通の営業マンはすぐさまクロージングに向かいます。

「いかがでしょう?」

そう言って相手の意思を確認します。

これだけは絶対にやめてください!

これをやってしまったら、すべてが台無しです。

アプローチ、人間関係、必要性、商品説明……とここまできたのに、いままでの苦労が水の泡です。

なかには「そうですね、買いましょう」と答えるお客もいるでしょう。しかし多くの場合は「検討させてもらいます」「身内と相談してみます」「まだ予算がありません」、これで終わってしまいます。

買う気があるかないかを聞かれれば、お客は一気に冷静になります。第1章でもいいましたが、お客はまだその商品を使ったことはないのです。経験がないこの段階で「いかがでしょう?」と言われても、踏ん切りがつかない。よそも見てみたい。もう一度考えてみたい。そう思うのが人情です。「いかがでしょう?」の言葉でかえって相手を迷わすことになってしまいます。

だから「いかがでしょう?」とは絶対に聞いてはいけません。

ではどうすればいいか。

お客が断りきれない状況をつくり出すために、「二者択一」のテストクロージングを行うのです。

買うことを前提に、二者択一で誘導せよ

世間一般では、テストクロージングはクロージングをテストすること、つまりお客に買う意思があるかどうか、探りを入れることだと定義されています。

「ところで○○さまは、以前にもこうした商品を買おうと思われたことはございますか？」といったように、相手が商品に興味をもっているかどうか、お金があるかどうかなどをさりげなく聞き出すことが、巷《ちまた》ではテストクロージングだといわれているのです。

ところが「加賀田式セールス」では違います。

私のいうテストクロージングとは、お客に購入の意思があるかどうかを確かめることではなく、買うことを前提として二者択一をしてもらう行為です。

具体的にご説明しましょう。

商品説明が終わった時点で、お客はまだ買うとも買わないとも言っていません。こ

ちらも買う気があるかないかは聞かない。それでも「お客は買う」という前提で、このように切り出します。

「ところで○○さま、失礼ですがお支払いの方法でございますが、お支払いの方法は二通りございます。一つは毎月三千円、もう一つは六千五百円、この三千円と六千五百円、どう違うのかと申しますと、六千五百円のほうは、毎月六千五百円の均等払いです。三千円のほうは、年に二回だけ二万一千円、ボーナス時に加算になります。失礼ですが、奥さまでしたら、この三千円と六千五百円、どちらかといいますと、どちらのほうがいいなあ～と思われますでしょうか？」

このように二者択一で聞かれたら、お客の反応は三通りに分かれます。たいていの人は、買う気があろうがなかろうが「こっち」と答えます。そうしたら、営業マンは「そうでございますよね、月々少ないほうがいいですもんね」などと言いながら契約書の支払い欄に「三千円」などと記入します。これでほぼ決まりです。

たまに「え、もう書くの？」とびっくりして言う人がいますが、このときは「奥さん、善は急げではございませんが、いいなあ～とお思いいただいたことはすぐになさっておいてください。あとで必ず喜んでいただけると思います。ところで奥さん失礼ですが、こちらは東区原町の何丁目何番でございましょうか？」と言いながらその番地を契約書に書こうとする。そうすると、相手はつられて「2の8の……」と答えながら、えーいやっとけ！　と踏ん切ります。

あともう一つのケースとして、「待ってください、私一人じゃ決められません」「金がない」「すぐには決め切らん」などの抵抗がもろに来る場合もあります。そのときも、抵抗の切り返しを瞬時に終えて、結局は契約書にサインをもらえることになります。その抵抗切り返しのトークはのちほどまたご説明いたしましょう。

アプローチ、人間関係、必要性、商品説明、そしてテストクロージングと、ここまでのセオリーを忠実に積み重ね、契約書にサッと支払い方法を記入することができたら、お客はいまさら「いりませんっ！」と言い出すことはできません。断りきれない状況になっています。

たいした抵抗もなく、あれよあれよという間に契約書に必要事項を記入し、捺印《なついん》をして戦闘終了です。

いろいろなパターンの二者択一例

テストクロージングの二者択一にはさまざまなパターンが考えられます。

私の経験上もっとも多いのが、先に例に出した支払い方法——**均等払いかボーナス併用払いか、あるいは現金払いかカード払いかを選ばせるパターンですが、このほか商品や〝サービス品〟の二者択一というのも有効です。**

「もしも御社でこの商品をお試しいただくとしたら、大型のタイプか小型のタイプか、失礼ですが、○○さまでしたら、どちらかといいますと、どちらのほうがいいなあ〜と思われますでしょうか？」

「今回は特別にサービス品としてこのようなものをご用意しております。このサービス品には赤と青の二色がございますが、もし上のお嬢さまに使っていただくとしたら、どちらかといいますと、どちらの色がいいなあ〜と思われますでしょうか？」

「当社には子どもさん専用の百科事典と、子どもから大人まで使える百科事典と二種類ございますけれども、奥さん失礼ですが、この子ども専用と一生使える百科事典とでは、どちらかといいますと、どちらのほうがいいなあ〜と思われますでしょうか？」

「当社で扱っているおもちゃでは、いま流行で在庫がないくらい売れまくっているこちらの商品と、定番で長く愛されているこちらの商品が主流でございます。○○店長失礼ですが、もしお試しで置いていただくとしたら、どちらかといいますと、どちらのほうがいいなあ〜と思われますでしょうか？」

もちろんお客がどちらを選択しても、営業マンは「そうですよね」と同調します。

「そうでございますね、やっぱり子どもには子ども専用がよろしいですよね」

あるいは、

「そうでございますね、やっぱり一生使えるものが便利ですよね」

と言ってそのまま契約です。

テストクロージングで「決めつけ」はご法度

お客に二者択一を迫るとき、一つ気をつけなければならないことがあります。

テストクロージングはあくまで「テスト」ですから、「どちらがいいですか？」と断定的にたずねてはいけません。これはお客を怒らせます。「まだ買うとは言っていません！」と反論されてしまいます。

「どちらかといいますと、どちらのほうがいいなあ～と思われますでしょうか？」

この「どちらかといいますと」と「いいなあ～」がポイントなのです。このように聞けば、お客もまだ仮定の話なのだと安心して「こっち」と答えてくれます。

丸い卵も切りようでは四角、ものは言いようで百も違います。ちょっとした言い方の違いで相手の気分を害さないよう、テストクロージングでは一言一句このとおりに実践してください。

なお、文章ではいまいち伝わらないかもしれませんが、この「いいなあ～」の部分はオーバーなくらい感情を込めて話しましょう。文字にするなら「いいなぁぁぁぁ～ッ」という感じです。そうすれば相手も本気で、どちらが「いいなあ～」と思うかを考えてくれます。

やさしいテストクロージングから核心のテストクロージングへ

このテストクロージングは「加賀田式セールス」のセオリーでいうと五番目、つまり商品説明とクロージングの間に入るわけですが、テストクロージングを行う場面は必ずしもここだけではありません。

商談の最中に何度も何度もテストクロージングを仕掛けるのです。

ここでは支払い方法や商品選択などの決定的な二者択一を「核心のテストクロージング」、また必要性や商品説明などの合間に投げかける簡単な質問を「やさしいテストクロージング」と呼ぶことにしましょう。

やさしいテストクロージングとは、たとえばこのような会話です。

「こちらの六畳間と先ほどお見せした南向きの八畳間、ご主人ならどちらかといいますと、どちらを主寝室として使うのがいいなあ〜と思われますでしょうか？」

「最近のお子さんは、早いお宅では幼稚園から塾に通われますね。失礼ですが奥さん、塾に行くかどうかは別にいたしまして、あとで困らないように、お子さんを勉強好きにしてあげる、勉強に自信をもたせてあげるのはなるべく早いほうがいいかと思われますけど、早いのと遅いのとではどちらかというと、奥さんはどちらのほうがいいなあ〜と思われますでしょうか？」

これがやさしいテストクロージングです。核心のテストクロージングに比べてソフトでしょう。まだ必要性や商品説明の途中なので、お客もたとえ話だと思って油断して答えます。

とはいえ、これがあとあと効いてくる。**答えやすい、やさしいイエスを引き出して積み重ねることで、だんだん相手はノーと言いにくくなっていきます。**こうして土台をつくりながら、徐々に徐々に核心のテストクロージングへと変えていくのです。

(6) クロージング

クロージングは「加賀田式」の最終兵器

私の営業では、クロージングを行うことはめったにありません。テストクロージングまでの段階でほぼ決まってしまうからです。

でも、なかには手ごわいお客もいらっしゃる。私が「どちらかといいますと、どちらのほうがいいなあ～と思われますでしょうか？」とテストクロージングを仕掛けても、「いまは決められん」「考えさせてください」と頑固に抵抗する方もいます。こちらの誘導にお客が乗ってこない、暗示にかかっていないわけです。

テストクロージングまでやって「ウン」と言わないお客は、何かよほどの考えがある方です。きょうは絶対に買うもんかとか、こんな高いもの買えるかとか、何か根強いこだわりをもって、意地でも断りとおそうと思っている。

そうなったら、いままでのやり方では落ちません。いままでと同じようなテンションで話していても、押し問答になるばかりです。

そこで最後の手段、真っ向から切り返し、クロージングに入ります。

興奮して話す相手に「ノー」とは言えない

加賀田式のクロージングのポイントはただ一つ、「興奮」です。

私はくり返し、営業マンは明るく熱心でなければならないと述べてきました。営業先では、ふだんより二倍も三倍も大きな声で話せと教えてきました。

しかしクロージングはそれどころではありません。もっともっと熱心に、大興奮して話すのです。

興奮するといっても、感情的になったり、暴言をはいたりするわけではありませんよ。「この商品がどれだけいいもんかぁぁぁぁッ！」ということを、身振り手振りを交えて熱っぽく話すのです。ときには机をばーんっ！　とたたくことすらあります。

するとどうなるか。

お客は驚きのあまり抵抗を忘れます。

「いや、でも……」なんて軽口はもう挟めません。

実例を一つご紹介しましょう。

私が学習図書の訪問販売をしていたときのことです。私のテストクロージングに対して、その家の奥さんはこんな抵抗をみせました。

「実は先月、主人が亡くなりまして、いまは生活保護を受けて細々とどうにか飢えをしのいでいる、そんな状況なんです。だから学習図書なんてとても……」

普通の営業マンなら、さすがにこれは脈がないとあきらめるでしょう。しかし私は違う。やおら立ち上がり、三軒先まで聞こえるような大声でこう言いました。

「奥さん！　生活保護が何ですかぁぁ～～ッ！　お金が何ですかぁぁ～～ッ！　子どもさんには一生の問題なんですよっ！」

……奥さん、ビックリして何も言えません。

そりゃそうです。一メートルにも満たない距離で、そんな大声で大興奮して叫ばれたら、言葉も忘れてしまうでしょう。

もちろんこの生活保護のご家庭からも、きちんと契約をいただきました。

この話、読者のなかには「ひどいっ！」と思われる方もいるかもしれません。それこそ押し売りではないか、と。

しかし思い出してください。私は自分のためにモノを売っているわけではありません。自分がよいと信じた商品を、お客のために「売ってあげて」いるのです。

それに私は絶対にウソをつきません。学習図書がないよりはあったほうが、お子さんの将来に必ずプラスになる。私は心からそう信じるからこそ、自信をもってお客に売ってあげることができるのです。

「興奮が足りなかった」一〇〇％神話のストップ

私は二十三歳で営業を始めたその日から、〝飛び込み営業〟の世界でノーミスで契約をとりつづけました。

以来、十七社で営業を経験し、そのすべてでトップを記録。もっとも長い期間では、学習図書の訪問販売で約一年間のパーフェクト（契約率一〇〇％）を達成しました。私がガラガラっと扉を開けたら契約。会ったら契約。これが約一年間続きました。しかしある日、その記録が途絶えました。クロージングで失敗したのです。

そのころの私は、学習図書の代理店の営業部長でした。その代理店の成績が突出していたために、あるとき出版社から賞金が出た。営業所の社長はそれで私を韓国旅行へ連れていってくれました。

いまはもうすっかり足を洗いましたが、当時の私はギャンブル好きでしたから、ソウルでは毎日ウォーカーヒルへ通ってカジノざんまいです。何もかも忘れて夢のような六日間を過ごし、命の洗濯をしてはればれと帰国しました。

そしてあくる日、私はいつものように新人をともなって営業へ出かけました。

当時の私は部長という肩書きを得ていましたが、毎日のように新人や成績の悪い営業マンの教育のために現場へ出ていました。

私の教育は「論より証拠」、実際に私が部下の目の前で客宅に飛び込み、売ってみせるのが私のやり方でした。

さて、その日もいつものように新人を連れて、いつものような調子で「ごめんくださーいっ！」と飛び込みました。そしていつものようにアプローチからトントン拍子で話を運んでいきました。

ところが最後の最後でなぜか決まらない。

抵抗されては切り返し、抵抗されては切り返し……。

いつの間にか堂々めぐりになっていました。こちらが何を言っても、相手はかたくなに同じ抵抗をする。そうなると、もう私も言うことがなくなってきます。

刀折れ矢尽き、しまいには押し売りをしているようなイヤな気分になって、広げたカタログを片づけてスゴスゴと退散するはめになったのです。一〇〇％の神話がついに途絶えました……。

当時の私は毎日、部下の前で豪語していました。

おれは一〇〇％や。
おれが売るところはみんな見とる。
おれが売れんかったところを見たやつは一人もおらん。

――あろうことか、その「一〇〇％の神話」が、その証人たる部下の目の前で音を立てて崩壊したのです。

しかし私は気力をふりしぼって隣の家に向かいました。
今度はご夫婦がいらっしゃいました。すぐさま座敷に上がり込んでいつものようにアプローチからクロージングまで、私のペースで立て板に水を流すようにとんとん拍子にいったのですが、何とまたもや先ほどと同じ。抵抗されては切り返し、また抵抗されては切り返し、そしてやがて同じように堂々めぐり。イヤな気持ちになって力尽き、カタログを集めてまたもや退散。一〇〇％の神話が崩壊しただけではなく、なんとあろうことか二軒続けて失敗――。

そこは田園地帯でした。まわりは田んぼと畑と向こうに見える農家と、傍らには田んぼに水を引くためでしょう、小川が流れていました。私はその小川の横にしゃがみました。小雨が降っていましたが、それすらもいとわず、もう立てない。動けない。立てつづけに二軒失敗して、もう私はどうしていいかわからない。なぜとれなかったのか、いつもとどう違うのか、どんなに考えてもわからない。

考えつづけてはっと気がついたのは、あの韓国のウォーカーヒルでした。私はそういう意識はなかったけれども、一週間韓国で羽を伸ばして、遊びほうけて、その余韻がいくらか残っていたんでしょう。そのため、私の話し方にいつもの興奮がほんの少し、足らなかったんでしょう。

それに気がついて、落ち込んでフィーリングはがたがただったものの、三軒目の家ではいつも以上に興奮して話して、いつものように契約がとれました。

それ以降、私は〝興奮〟という言葉を忘れたことはありません。

興奮がなければ〝ただの人〟

失敗談の続編をもう一つ――。

ある日私の顧問先から、「弊社がラスベガスで販売している住宅を日本でも売れるかどうか、社運をかけた初のテスト販売を熊本でやりますので、よかったら見学にお越しいただけませんか？」という電話が入りました。

結果として、私は見学ではなく、見るに見かねて五棟中四棟を二日間で売り、契約書への記入、契約金の入金もその二日間で終わらせました。

それからというもの、その会社がマンション、一戸建てを全国で売り出すたびに電話が鳴り、ほとんどノーミスで即日契約の快進撃を続けました。

ところがやったのである。人生初の失敗も失敗、大失敗を横浜でやらかした。

送られてきた地図をたよりに現地にたどりつくと、先に来ていたその会社の社長が「先生、きょうは一つ大きな声を出さないようにお願いします」と開口一番、クギをさしてきました。

なぜか？　それは来場者の接客中、私の声があたりはばからず大きいので、ほかのテーブルのお客までが私の話に耳をそばだて、その担当者の話を真剣に聞こうとしないということが相次いだためでした。

私は「わかりました……」ともちろん了解し、その日は意識して声が大きくなりすぎないように、興奮しないように、ほかの人と同じくらいの〝声〟で話しました。

その結果——、その日は六組接客して、「検討させていただきます」と、なんと六組から断られたのです。

いわゆる〝ゼロ〟である。

まことに不遜《ふそん》ながら、声を落としたら、迫力がなかったら、興奮を取り上げられたら、加賀田も〝ただの人〟——。

大事な話は大事そうに、熱を込めて、ドラマチックに、全生命をかけて、〝興奮〟して話せ！

己に命じた一日であった——。

第3章

抵抗は真に受けるな
――抵抗切り返し編

お客の抵抗は真に受けるな

営業マンは、「断られて当たり前」「断られてからが本番」と言う人がたくさんいます。というよりも、みんな断られるのが普通だと思っています。

しかし、断言します。

営業は断られてから始まるのではありません。

そのための具体的なセオリー、トークを第2章でご紹介してきました。アプローチからクロージングまであのとおりにすれば、こちらのペースで、相手を誘導することができます。

いちばん理想なのは、まったく無抵抗で契約をとることです。加賀田式のセオリーを完璧《かんぺき》に実行できたら、無抵抗・パーフェクトで契約をとることも十分可能です。しかし、現実には全部が全部無抵抗ではとれません。

やはりときには「忙しい」「金がない」などいろいろな抵抗を受けます。世の中には、こういった抵抗が苦手な営業マンがいっぱいいます。みんな切り返ししきれないのです。どんなに感じがよくて、どんなに明るくてやる気があっても、抵抗に弱い人は人並み程度の仕事しかできません。**逆にいえば、どんなにトークがたどたどしくても、瞬時に抵抗を切り返せる人は、契約がとれるということです。**

抵抗の切り返し方、言い回しを熟知すれば向かうところ敵なし、天下無敵です。抵抗されてもへっちゃら、瞬時に切り返せる。どんな抵抗が出てきても切り返せるようになれば鬼に金棒です。

それでは、どうすれば切り返せるのか、その方法、トークをご披露いたしましょう。

まず、お客が営業マンに対して抵抗するのは、抵抗できるだけの〝間〟があるからでしたね。お客と話すときは不用意に〝間〟をあけず、言葉を切るのは質問のときだけ――この鉄則を厳守すれば、それだけでお客の抵抗は激減します。

しかしそれだけでは十分ではありません。会った瞬間に抵抗にあうこともあります。なぜ人は説明も聞いていないうちに抵抗するのか、無造作に断るのでしょうか。

十中八九、お客の断り文句は営業マンに帰ってもらうための単なる口実であり、平たくいえば〝ウソ〟です。別にそれほど忙しくもないけれど、めんどうだから「忙しい」と言ってみる。貧乏しているわけではないけれど、「お金がない」と言えば相手があきらめるだろうと思って言ってみる。お客の心理とはそういうものです。

だから営業マンは、お客の抵抗をけっして真に受けてはいけません。お客の言葉を額面どおりに受け取って帰ることは、それは善ではありません。ただのお人よし、ただのマヌケです。

少なくとも一度はお客の抵抗をウソだと思いなさい。ウソだと信じて、抵抗を切り返すのです。最低一回は切り返して、次の話にいきます。すると、そのウソは真実ではなかったのだから、お客は二度と同じ抵抗を蒸し返さない。

まちがっても抵抗に対して「ああそうなんですか」と真に受けてはならないのです。

相手の言葉のプラスとマイナスを考えよ

お客がどのような抵抗をみせようとも、私はすぐさまその抵抗を切り返すことができます。それは、切り返しの「理屈」がわかっているからです。

お客の抵抗には必ずプラスとマイナスの側面があります。もっともな部分と、そうでない部分があります。お客の言うことが一〇〇%正しいなんてことはありえません。

ものごとには万事、プラスとマイナスがあるのです。だから、お客の言葉のマイナスを突く。これが〝抵抗の切り返し〟の秘訣《ひけつ》です。

この理屈を理解せずに、こう言われたらどう言おうかなど、小手先の切り返しトークだけを考えても意味がありません。相手の言葉のマイナスを瞬時に探すことができれば、どんな抵抗でも切り返せるようになるのですから。

それを念頭に置いたうえで、切り返しトークの実例をみていきましょう。

切り返しトーク①「忙しい」

お客　いま忙しいんですけど。

営業　それではお時間はとらせませんので、まず五分だけ聞いてください。と申しますのは……。

【解説】

お客の「忙しい」はほとんどの場合ただの断り文句ですから、真に受けずに話を始

めてしまいましょう。

これは一般家庭でも、企業に訪問するときも同じです。

「社長、お忙しいんですか。いつお出かけですか」といちいち真に受けて質問していたら、相手も断ることに慣れているので「いまから大事な会議がある」などと次から次へと口実が出てきて、もうどうしようもありません。

「お時間とらせませんので、これだけは聞いてください。と言いますのは……」と次の話に進めば、ほとんど黙って聞きます。忙しい、出かけるというのは口実だったのだから、もう相手は抵抗しません。

ただし「いま食事中です！」など明らかに忙しいことがわかる場合は、また来ますとさえ言わず、好印象だけを残してすみやかに退却します。

そうして数時間後、「奥さま、お食事終わられましたでしょうか」と再訪する。そうすると相手は、「わざわざまた来たんだ、悪いことしたな」と負い目を感じて素直に話を聞いてくれます。

前向きな出直し、退却なんですね。

切り返しトーク②「お金がない」

お客　でもお金がないから……。
営業　ははは（と笑って受け流し）、ところで失礼ですがお客さま……。

【解説】

「お金がない」という抵抗へのもっとも簡単な切り返しは、「またまた、ご謙遜《けんそん》を～」というニュアンスで笑い流し、すかさず次の話題に移ってしまうことです。

相手が謙遜しているかもしれないと思い込み、真に受けないのです。

この「笑って流す」という切り返しは、応用が利きます。

「女房に聞いてみないとわからん」

「まさか、大の男が奥さんに相談なんて言わないでしょう、ご冗談でしょう」

と言わんばかりにははは っと笑って次に進むという方法があります。

切り返しトーク③「値引きして」

お客　これ、もうちょっと安くならないの？

営業　ご主人、値切らんでください！　といいますのも、この商品は普通の商品とは違うんです。どんなふうに違うかといったら、この機能がですね……。

【解説】

これも「お金がない」の場合と同じようにさらりと流して、別の話題にもっていきましょう。

次の話になってしまったら、もとの話題には戻しにくいのが人間の心理です。とくに「まけてくれ」といった少しみっともないお願いは、一度なら勇気を出して言えるけれど、二度目はなかなか言い出せないものです。

だいたい、多くの営業マンは相手に値切らせる間をあけるからいけないのです。抵抗を切り返したあと、じーっと相手の反応を待っていては、また「いや、定価では絶対に買わない」などと連打でいくらでも抵抗されます。さっと間をあけずに次の話題に移ります。

切り返しトーク④「すでに他社と取引がある」

お客　うちはずっとA社さんから仕入れているから、急によそには変えられないよ。A社さんとはいい関係ができていて、変える必要も感じないしね。

営業　では社長、私もわからんことは申しませんから、どうぞいい意味で競争させてください！　資本主義社会は競争によって成り立っております。競争するからサービスがよくなり、品質がよくなり、値段が安くなるのです。だから全部とは申しません。いままでA社さまとおつきあいなさっていたのを、いきなり全部うちに変えてくださいなんて、そんなわからないことは申しません。それぞれ得手不得手がございます。A社さんの場合はこういうもの、うちはこういう傾向の商品が得意なんです。当社の一番人気の新商品、これがはたして従来の商品とどう違うか、論より証拠、一度お試しいただきたいと思います。一度お試しいただいて、なるほど、ほんとうにすごいとご実感いただけましたら、そのときには、一つ長いおつきあいをお願いしたいと思います。

【解説】

これは先に述べた「プラスとマイナスを考える」のよい実例です。

A社とずっと取引をしていることのマイナスは、他社のことが全然わからなくなってしまうことです。よそにもいいものがあるかもしれない、競争させたらもっと安くなるかもしれない、サービスがよくなるかもしれないという、相手側のマイナス、こちら側のプラスを前面に出して訴えましょう。

瞬時に考えて切り返せば、相手はイチコロです。

切り返しトーク⑤「知り合いがいる」

お客　○○社に知り合いがいるんで、そういうサービスなら○○社に頼みます。

営業　あっ、そうでございますか。お顔が広くていらっしゃるんですね。その方はその方で、これからもよいおつきあいをしていただきたいと思いますが、きょう、お目にかからせていただいたのも何かの縁でございますし、サービスのご加入だけでしたら特別費用もかかりませんので、この件に関してはお気楽になさってください。ところで△△課長……。

【解説】

同業者に知り合いがいるというのも定番の断り文句ですが、ほんとうに知り合いがいて、ほんとうにその人から買おうと思っているケースはごくまれです。

さっと切り返して話を進めていけば、多くの場合、お客は自分が何と言って抵抗したのかも忘れてしまいます。

切り返しトーク⑥「考えておく」

お客　すみません、ちょっといま、ここで決められないので、考えておきます。

営業　ありがとうございます、奥さん。大事なことでございますから、ゆっくり考えてください。でも一応おたずねします。奥さんはどちらかといいますと、どちらのほうがいいなあ～と思われますでしょうか？　こういうものはあったほうがいいなあ～と思われますでしょうか、それともないほうがいいなあ～と思われますでしょうか？

お客　そりゃまあ、あったほうがいいはいいけど……。

営業　そうですよね。ないよりもあったほうが絶対いいですよね。では奥さん。同じ使うとしたら、使う時期はなるべく早いほうがお得だなあ～と思われますでしょうか、それとも遅いほうがお得だなあ～と思われますでしょうか？

お客　そりゃ早いほうでしょうけど……。

営業　奥さん、判断基準はこれだけです。なさっておいてください！　あとで必ず喜んでいただけると思います。では奥さん、失礼ですが、こちらは○○町の何番地でございましたでしょうか？（と言って契約書に記入しようとする）

【解説】

買おうかどうか決めかねるとき、お客はよく「考えておきます」と言いますね。どうしても踏ん切りがつかないと。そんなときは、このように判断基準を整理してお客の背中を押してあげましょう。あったほうがいいのか、ないほうがいいのか。使うなら早いほうがいいのか、遅いほうがいいのか。こう聞けばお客は必ず「あったほうがいい」「早いほうがいい」と答えます。

お客はまだ商品を使ったことがないので、悩んで当たり前なんです。だから思い切れるようにお手伝いをしてあげる、これが営業マンの仕事です。

不思議なことに、さっきまで抵抗していたのが、いつの間にかテストクロージングに変わっているのです。

サービス品はここぞの場面で使え

このように、お客は実にさまざまな抵抗を試みますが、真に受けずに話題を変えてしまえば抵抗を蒸し返す人はほとんどいません。

ただ、そうはいっても、なかには一度「値引きしてほしい」と言い出したら引き下がらないような頑固なお客もおられます。そんなときこそサービス品の出番です。

お客　でもね、とてもこの値段じゃ買えませんよ。少しはまかりませんか。

営業　社長、そんなにいじめないでください。うちはデパートと同じで定価販売なんです。だけどそうはいいましても、少しはご納得いただけるように、できるかぎりのことは精いっぱいさせていただきます。できる方法はあるんです。それは何かと申しますと、ここだけの話ですが、特定のお客さま、大きなものをまとめて買っていただくとか、うちで何度もお買い上げいただいているとか、そういう特別なお得意さま用のサービス品を、私きょう持っているんです。ほんとうはこういうときは使ってはいけないんですけれども、もしこれでよろしければご利用いただきたいと思いますが、それは何かと申しますと……。

自慢ではありませんが、私は自分でモノを買うときは必ず値切りますが、営業として値引きをしたことは一度もありません。値引きをしたらお金だけの話になり、商品で勝負、仕事で勝負することができなくなってしまいます。これではお客に幸せを運ぶ青い鳥失格です。

どんなに執拗《しつよう》に値引きを求めるお客でも、このように（言葉は悪いですが）恩着せがましくサービス品を差し出せば、コロリと抵抗がなくなります。

すべてはお客のため、サービス品を出すのもお客のためという意識ですよ。

「うちの会社ではサービス品なんて用意していない」という方、ないなら自分で用意すればいいのです。

何も高価なものでなくてもかまいません。

たとえば私が学習図書の訪問販売をしていたときは、つねにサービス品として携帯ラジオや磁石のおもちゃを持ち歩いていました。もちろん全員に配って回るのではなく、頑固な抵抗をみせるお客に対して、ここぞという場面で使うんですよ。

効果は絶大でした。値引きをはじめとするさまざまな抵抗を切り崩せるだけではなく、テストクロージングの際にも使えるからです。

「こちらの携帯ラジオ、赤と青の二色をご用意しているのですが、失礼ですが、上のお嬢さまにお使いいただくとしたら、どちらかといいますと、どちらのほうがいいなあ～と思われますでしょうか？」――という、例の二者択一トークですね。

ここで、「こっち」と答えてしまったら、お客はもう断るに断れません。引き返せなくなります。

携帯ラジオなんてたかだか数百円、契約をとったインセンティブに比べれば、自腹を切ったとしても微々たる支出です。それに、お客は商品代から数百円を値引いてもらうより、役に立つサービス品をもらったほうが喜びます。

住宅のように高価な商材を扱う場合でも、サービス品の威力に変わりはありません。何十万、何百万という値引きをするくらいなら、特別にカーテンや照明をサービスしますという方向にもっていったほうが、はるかに安く上がります。

値引くとくせになる。絶対に値引かず、サービス品で決着をつけましょう。

ファミリー客を相手にするなら〝棒つき飴〟は必需品

ここぞというときに使うサービス品とは別に、私は現役の営業マン時代、つねに棒つきの飴《あめ》を携帯していました。これは一般家庭を回る訪問販売や、ファミリーのお客が多い住宅や自動車などの店舗営業で絶大な効果を発揮します。

ご両親と商談をしている間、お子さんが退屈して騒いだり、帰ろうと言い出したりするのはよくある話ですね。ですから私は、子どもを見たら即座に棒つき飴を差し出します。

なぜ棒つき飴なのかといえば、まず減りにくい。なめたり出したりしますから、なかなか減らんのです。なめている間は子どもの手と口を封じておけるし、ガムと違って飲み込む心配もありません。子どもはモノをもらったことで多少なりともなついてくれるし、親も「まあ、うちの子にすみません」と感謝してくれます。

しかも安い。一本数十円くらいのものですから、サービス品のようにもったいぶらずとも、会う子ども全員に配れます。

本来、私はとても小心者なんです。営業で失敗したらどうしようと怖くてしかたがない。だからこうしたサービス品やオマケを必ず持って歩くんです。

私にいわせれば、サービス品も持たずに飛び込み営業をやろうという人は勇気があるなあと、逆に感心してしまいます。

いまでも覚えている「完全無欠」の抵抗

相手の言っていることのプラスとマイナスを瞬時に探し、抵抗を切り返す——。これが鉄則ですが、どう考えてもマイナス面が見当たらない抵抗にあったことはいまでも覚えています。

学習図書の訪問販売で、お客が「わかりました。いただきます」そう言ったあとからが問題でした。きれいで品もいい、理路整然としている奥さんが、「いただきます。その代わり、一日だけ待ってください。いいえ、主人に相談するのではありません。子どもの教育に関しては、私は主人から任されておりますから、主人はけっして反対しません。でも、やはりうちの主《あるじ》は主人です。事後報告ではなくて、こうこうこうだから私は子どものために百科事典を買おうと思います、と一言事前に言わせてください。あした、必ずいただきます」と言うのです。

相手の言い分は百点ですね。完全無欠で、マイナス面が見当たらない。ここで無理に理屈で切り返そうとすると屁《へ》理屈になる。このときは、情に訴えました。

「おっしゃるとおり、事前にご主人に相談するというのは夫婦円満のもとですね。けれども奥さん、一つご理解いただきたいのは、私どもも仕事でお邪魔させていただいておりまして、勝手に行動できないのです。あしたにはほかの地区に移動してしまいますので、自分一人で勝手にご訪問できないのです。そこで、奥さん、無理を申し上げる分、ささやかではございますが、子どもさんのために何かさせていただきたいと思います」

と言って、サービス品を選ばせます。これで相手は踏ん切りがつき、契約。

ここで「あした来たら契約がとれる」と思ってはいけませんよ。あしたのことはわからない。ご主人が反対するかもしれないし、奥さんが心変わりするかもしれない。

値引きを要求されたとき以外にも、こうしたマイナス面がなかなか発見できない抵抗の切り返しにもサービス品は威力を発揮します。

イエス・バット方式で話すと一気に抵抗を切り崩せる

私は先に、お客の抵抗を切り返すには、相手の言葉のプラスとマイナスを分析し、マイナスの部分を突くのが効果的であるといいました。

しかしマイナスを見つけたからといって、すぐさま相手の言葉を全否定するのは、かえって逆効果になる場合もあります。相手の言い分にも必ずもっともな部分はあるわけですから、それを真っ向から否定してはお客もいい気分はしないでしょう。

そんなときは「イエス・バット方式」で話すのをおすすめします。

これは、まず自分の言いたいことを言う前に相手の言い分を認めてあげたうえで、相手のマイナス、こちらのプラスを指摘するトーク術です。最初に相手の話をきちんと聞き、もっともな部分はもっともであると認めてあげれば、お客もこちらの言葉に素直に耳を傾けます。


しかしほとんどの営業マンは、「そうですよね、でも」と、表面上のイエスだけですぐバットに移ろうとします。これでは意味がありません。お客も営業マンに真意が伝わっていないと思って、「さっきも言いましたけど、ここがこうだから……」と、もとの抵抗を蒸し返してしまいます。

イエス・バット方式を実践する際は、相手のプラスを思いつくかぎり口に出して

「イエス」にし、しかるのちにバットに転じる。これがポイントです。

例をあげてご説明しましょう。

私はあるとき、つきあいのある不動産会社から頼まれて、売れ残り住宅の営業のお手伝いをしました。

私が接客したのは、小さな赤ちゃんのいる若夫婦。不動産会社の社員は、口をそろえて「その夫婦に売るのは無理だ」と言いました。よくよく話を聞けば、旦那《だんな》のご両親が近所に広い家をもっていて、その敷地内に親が家を建ててくれる予定なんだとか。つまりその不動産屋を見に来たのは単なる冷やかしであって、買う気なんてまったくないのです。

でも、もうおわかりですよね。もちろん私は売りました。

「うわっ、ご実家お金持ちでいらっしゃるんですね。しかもそんなやさしいお父さんがいらして、ご健在でいらっしゃって、しかもタダで家まで建ててくれるなんて、いいお話じゃないですか。ご主人がローンをお支払いになる必要もありませんね」

ここまでが、イエス。
ここからが、バット。
「……でもご主人、奥さん、ものはよしあしです。それまでは実の親子のように仲よくやっていた奥さんとお姑《しゅうとめ》さんが、なまじっかいっしょに住んだために関係が悪くなるなんて、よくある話です。この間週刊誌に載ってましたけど、芸能人の○○のところもそうだっていいますよ。それともう一つ、ご両親のお金で建ててもらえばそれは楽でしょう、一円もかかりませんもん。だけど奥さん、どう思われますか。ご主人は自分の両親のことですからいいでしょうけど、奥さんはいくらか気も使いますよね。奥さんはどうですか。自分たちで努力してがんばってマイホームを手に入れるのと、向こうの親御さんが用意してくれた、舅《しゅうと》さん、姑さんの敷地内に住むのと、奥さんはどちらのほうがいいなあ～と思われますでしょうか?」

イエス・バット方式を基本どおりに実践し、思いつくかぎりの相手のプラスを口に出して同意したあと、プラスの弾が尽きたところでバットに転じたわけです。

奥さんはキッパリ「自分たちで建てる!」とおっしゃいました。もちろん、そのあとはとんとん拍子で契約です。

実はこのイエス・バット方式、営業の場以外の人間関係一般でも使えます。上司や部下に対しても、子どもに対しても、まずは相手を認めてあげる。そのあとで言いたいことを主張すれば、相手はあなたの思いどおりにしてくれます。

営業マンの使命を果たすために、あえてイエス・バットを捨てるという選択もある

このように、うまく使えばお客の心をさりげなく誘導できるイエス・バット方式ですが、すべての場面で万能とはかぎりません。

お客の話を聞いてみたらあまりにもごもっともで、マイナスの要素がほとんど見当たらない。

そんなときでもイエス・バットを使えないこともありませんが、膨大なプラスを肯定したあとで「でもね」と切り返していくのは時間がかかります。

そんなときはあえてイエス・バットを捨てて、いきなり相手の言うことを否定して

しまうほうがはるかに手っ取り早い。

たとえば住宅や車の営業では、お客が「別の会社も見てから決めたい」という抵抗をみせるケースがよくあります。「これはこれで気に入ったけれど、大きな買い物だから、もう一か所の気になる商品（家・車）も見ておかないと心残りだ」と言うんですね。

ごもっともな話ですが、営業マンの使命は売ることとです。お客の主張を認めてしまったら、営業マンとしての使命を果たせなくなります。**相手の言うことがもっともであっても、相手の言うとおりにしたら営業マンとしての役目を果たせないというときには、何が何でも相手を食い止めます。私は戦う戦士なのだから。**

私ならピシャリと「行かんでください」と言い切りますよ。

お客　もう二、三か所見てから決めたいんだけど。

営業　ご主人、行かんでください！　だってご主人、奥さんとお会いになったとき、ビビビっと電流感じられたでしょう。人も家も縁のもんです。日本中の女性を全部見て回ってからと思っていたら一生結婚できません。家も同じで、東京中の物件を全部見てなんて思っていたら一生買えません。ご主人、奥さん、もう一度お伺いいたします。私どものこの物件、簡単にご説明、ご案内させていただきましたが、だいたいいいもんだなあ〜とお思いいただけましたでしょうか？　だったらご主人、奥さん、それでいいやないですか。人生はほどほどの満足、ましてご主人先ほどもおっしゃっていたように……。

と次の話題にいくのです。

商品のマイナスは伝えるべきか否か

しつこいようですが、どんな商品にも必ずプラスとマイナスの側面があります。むしろ、私が頼まれて売るような商品はほとんどが売れ残りや、売りにくいと考えられている商品ですから、マイナスのほうがはるかに多いのかもしれません。

そんなとき営業マンは、そのマイナスをお客にどう説明するか。

結論からいうと、「マイナスはあえて言わない」のが加賀田式です。

なるほど世の中には、商品のマイナスを自ら白状することでお客の信頼を得るという営業スタイルもあるでしょう。しかし加賀田式ではそのやり方は是としません。なぜならマイナスはあって当たり前だからです。

自動車を例に考えてみましょう。

軽自動車は小回りが利いて燃費もいいが、安全性に欠ける。

普通車は安全で安定感があるが、ガソリン代や税金も余分にかかる。

かといって自転車では疲れるし、家族を乗せることもできない。

——ものごとのマイナスを言い出したらキリがないですよね。

だから私は基本的に、ほかの商品と比べてのマイナスは言いません。軽自動車を売るときに、「普通車に比べたら車体が弱いですよ、いいんですか?」と説明する義務はないと考えています。

とはいえ、明らかに目に見えるマイナスとなれば話は別です。

たとえばマンションを売る際、建物のすぐ裏手がお墓だったり、邪魔な段差があったりするとします。

当然、お客はすぐに気がつくでしょう。こうしたケースでは先回りしてクギをさすのが正解です。

「では、いまからご案内させていただきます。その前に申し上げておきますが、これからご案内させていただくのは、これはマンションです。億ションではありません。普通のマンションに比べればはるかに快適だと、必ずやご満足いただけると絶大な自信をもっております。だけど、あくまでも一億円、二億円の億ションではございません。ですからご主人、奥さん、そういう意味では過大な期待はしないでください」

「昔からいわれますように、百点満点を求めたら一生結婚はできません。住宅も同じで、百点満点の物件を探していたら一生買えません。みんな〝ほどほどの満足〟です。だから世間では六〇%以上気に入ったらすぐ買えと言ったりしますよね。ただ当社はこの地域で〇〇年、少しばかり自信があります。六〇%とは言いません。いまからご案内させていただくお部屋、もし七〇%以上、八〇%以上、九〇%以上気に入っていただけましたら、そのときは一つ、エイッと思い切っていただきたいと思います」

こうやって言質《げんち》をとって案内を開始します。

それでもお客は言うでしょう。

「ここに段差が……」

そうしたら、すぐさまこう切り返してください。

「奥さん、さっき言ったでしょう。ほどほどの満足って。気にせんでください！」

これで万事OKです。相手ははっとして、クスッと笑い、あとはもう小さいことは言いません。

マイナスがあるなら先回りトークでけん制し、出るであろう抵抗を前もって封じ込める。

いろいろな場面で使えるテクニックですから、ぜひ覚えておいてください。

「失礼ですが」と一言添えるだけで、お客の反応は一八〇度変わる

この章の最後に、プロの営業としてマスターしておきたい「話し方」についてご説明しておきます。直接抵抗の切り返しとは関係ないかもしれませんが、話し方を意識するだけでもお客に与える印象はよくなり、抵抗にあう可能性がぐっと低くなります。

みなさんは、私がトーク例のなかで「失礼ですが」という言葉を多用しているのにお気づきになりましたか？

営業マンは必要に応じて、お客のプライベートな情報を聞き出さなければなりません。とくに「加賀田式セールス」ではお客に対して積極的に質問を投げかけます。家族は何人か、その他相手が自慢に思っていそうなことを聞いてあげる。たとえば、「そのバッグはどちらでお買いになったのでしょうか？」といった質問をする場合もあります。

そんなとき、けっしてストレートに「何人家族ですか？」「どちらで買われたので

すか？」と聞いてはいけません。人によっては「なんでオマエにそんなことを言わなければならないのか」と気分を害してしまいます。

失礼にあたるかもしれないこと、込み入ったことを質問する場合は、先回りして「失礼ですが」と前置きすること。たったそれだけで、「失礼な！」という感情は打ち消されて、お客は「いいですよ、聞いてください」という気持ちの準備ができます。

営業は相手を怒らせたらおしまいです。万に一つも相手に不快感を与えないよう、細心の注意を払わなければなりません。ですから踏み込んだ質問をする際は、「失礼ですが、ご家族は何人でいらっしゃいますか」「失礼ですが、現在のお住まいは賃貸でしょうか」というように、毎回毎回「失礼ですが」と一言添えましょう。

「ちょっと」「あっ」に込められた魔法の効果とは？

私は「ちょっと」という言葉もよく使います。これも非常に便利な言葉です。

「ちょっとよろしいでしょうか」

「ちょっとお願いいたします」

このように言葉のはじめに「ちょっと」をつけるだけで、お客に気楽なイメージを与えることができます。「少々」でも意味は同じですが、少し身構えた感じになりますから、やっぱりここは「ちょっと」がいいでしょうね。

それから、話し出すときは意識的に「あっ」という言葉を使います。

「あっ、おはようございます！」

「あっ、お客さま、これはですね……」

という感じですね。この最初の「あっ」を言うことで勢いがつくし、そのあとの言葉がとても自然になります。お決まりの営業トークも棒読みになりません。

ためしに、よどみなく「おはようございます、お忙しいところ恐れ入ります」と話してみてください。いかにも営業トークふうでしょう。でも「あっ、おはようございます、お忙しいところ恐れ入ります」ならとても人間味がある。

前にもいいましたが、営業マンは明るく元気よく、礼儀正しく、無礼があってはなりません。一方で、話し方はあまりかたくるしくなりすぎないほうがいいのです。

こちらがかたくなったら、お客もかたくなる。礼を尽くしながらも、打ち解けた、親しみを込めた感じで話すのです。そのためにも、スタンバイで歌をうたって気分を乗せるのです。

そして、「奥さん」とか、「社長」とか、「○○さん」とか、相手に呼びかける言葉もちょくちょく挟んで、相手を大事にしていますよという雰囲気を出しつづける。

こんな小さな工夫の積み重ねが、お客に安心感や親近感を抱かせるのです。

第4章

相手を意のままにあやつる

――極意編

相手を意のままにあやつる極意とは?

前章まででご紹介してきました、営業とは何かという哲学、セオリー、テクニック、言い回し、抵抗への切り返しなどを会得していただいたら、おそらくこれからのあなたの営業は激変します。どういう商品であれ、売り上げは思いのまま。一挙に倍増、ひょっとしたら、三倍、四倍、五倍とはね上がるかもしれません。

しかしそれはあくまでも、常識で考えられる範囲内でしょう。しかし、ものはついで、その常識を超える売り上げを上げてみたいと思いませんか……。

そこで、登場してくるのが三つの「極意」なのです。極意とは、その道を極めることですね。言い換えると、普通の人ではなかなか到達できない、一般常識をはるかに超える、その限界を超えるわざが、極意と呼ばれるのだと思います。

とても貧しい幼少時代を過ごした私は小さいころから、どうしたら金持ちになれるか、どうしたら成功できるかばかり考えていました。どうすれば人の心をつかみ、あやつれるのか……。映画を見ても本を読んでも、考えるのはそのことばかりです。

「あの場面は格好よかったな。人にそう思わせる原因は何だろう？」

「なんでこの人は意地を張るのだろう。僕ならこうするけどな」

そんな調子で、私の気持ちはいつも人間の心理に向いていました。

成功したい一心で、くる日もくる日も私はそんなことばかり考えつづけたのです。

そうしてあるとき、自分なりに成功できる方法がわかってきたのです。

相手を意のままにあやつる、対人折衝の極意が……。

その極意をいまからご紹介いたしましょう。

その前に、一つおたずねいたします。あなたはいままでの人生で、部下や上司、気になる異性、友人……ありとあらゆる相手を自分の意のままにあやつれたらいいなと思われたこと、ございませんでしょうか？　もしもそういう願望をおもちならば、おそらくこの極意編はあなたの人生観、いや人生そのものを変えるささやかな、あるいは決定的な魔力となるかもしれません……。

お客でも、異性でも、部下でも、家族でも、人の心理はみんな同じです。その心理のツボさえわかっていれば、簡単に相手と仲よくなるだけではなく、相手を自分の意のままにコントロールすることさえできます。こちらを好きになってもらうのも、商品を買うように誘導するのも朝飯前です。

そのために必要なのが、いまから説明する「三つの極意」です。

それでは、極意編の本題にまいりましょう。いやしくも「極意」と名づけておりますので、本書をお読みいただきながら、よかったらごいっしょにこの場面は自分ならどうするかな、と想定しながらお考えください。ただ受け身になってお読みいただくだけでは、言葉はあなたの前を風のように通りすぎていき、極意の域には達することができないかもしれません。では、まいります。

（1）愛対意識

対「人」関係が円滑になれば、満ち足りた人生になる

だれもが求める永遠のテーマ、「幸せ」の対象を大別すると、三つあると私は考えています。それは、「人」「物」「ものごと」です。このなかでも、とくに対「人」関係が円滑に保てることが大切です。

私たちは、日々朝から晩までだれかと接しながら生きています。家族、同僚、友人、お店の人……これら、人との関係が円滑にいけば、その日一日いい気分でいられます。逆に、だれかと気まずくなったり、ケンカをしたりすれば、その日一日気分のよくない、悪い日になってしまいますよね。**人とよい関係でいられるかどうか。相手を思いやり、また相手にも思いやってもらえるかどうか。これが、満ち足りた人生を送れるかどうかの一つの基準です。**

そこで、極意(1)の登場です。どうすればだれとでもよい関係をもてるのか、会った瞬間から人を好きになれるのか、相手からもそう思ってもらえるのか。そしてどうすれば会う人すべてをこちらの意のままにあやつることができるのか――それを解き明かす極意が「愛対意識」です。

人間は自分がいちばん大事、しかしものごとには順番がある

朝起きれば家族におはようと声をかけ、会社へ行けば同僚やお客と顔を合わせ、昼食に行った先では店員と言葉を交わす。そんなふうに、私たちは朝から晩までだれか

と接していますね。

まずは忌憚《きたん》なくあなたにおたずねしたい。

こうしたさまざまな人間関係のなかで、自分と相手、どちらが大事だとお思いでしょうか？

――自分ですよね。

まちがいなく自分だと思います。

いくらきれいごとを言おうと、極端な話、相手がわが子や伴侶《はんりょ》であっても、つきつめて考えたらいちばん大事なのは自分です。

人間、他人の苦しみは我慢できても、自分の痛みには耐えられません。他人が重い病気で入院したと聞かされても「お気の毒に」ですみますが、いざ自分のこととなれば、ちょっと腹が痛いとか、小さなトゲが刺さったとかいうだけでも大騒ぎです。

同じように、人間は他人の幸福は許せません。近所のだれかが宝くじに当たったと聞こうものなら、口では「よかったね」と言いつつも、腹の中ではおもしろくない。なんであいつだけと腹が立つ。残念ながらそれが真実でしょう。

人間はかくのごとき利己的な生き物です。まずは、これを頭に入れておきましょう。

相手よりも自分が大事、他人が幸せになるよりも自分が幸せになりたいと願うのが人間なのです。

では、その何よりも大事な自分が幸せになるためにはどうすればいいか――。

ものは順番、自分より先に相手を幸せにしてあげるのです。

まずはわが子を、わが妻を、わが友を、わが部下をハッピーにしてあげれば、まちがいなく自分もハッピーになります。いいですか、ものは順番ですよ。

世の中のすべての原則はギブアンドテイクです。ギブアンドテイク、つまり与えてから得る。やるからよこせ。自分が与えたものは必ず自分に返ってくる。それがこの世の絶対原則です。相手は鏡です。自分がもっとよくなりたいんだったら、相手をもっと満たしてあげることです。

だから、あなたがもし自分の利益に固執して相手を不幸にすれば、必ずしっぺ返しをくらうでしょう。子どもを虐待すれば復讐《ふくしゅう》され、妻をおろそかにすれば離縁状を突きつけられます。

営業の場合もしかり。売れるか売れないかは結果であって、ものには、ギブアンドテイクという順番がある。その順番、まずお客にメリットを与えなければ、営業マンにも見返りはありません。

相手を「好き!」と思い込んで話せ

それでは逆に、人に好かれたいと思ったならどうすればいいのでしょう。

もうわかりますよね。先にこちらが相手を好きになればいいのです。

簡単なことです。テクニックも何も必要ありません。人間には以心伝心というテレパシーが備わっています。**こちらが相手を「好き!」と思えば、相手にはその気持ちが必ず伝わります。**本能で、表情で、態度で、話し方で、「この人は私に好意をもっているな」とわかるのです。そうすれば相手も悪い気はしません。山びこのように、こちらの「好き!」に対して「好き!」と返してくれます。

これは同性だろうが異性だろうが、同僚だろうがお客だろうが、すべての人間に共通する心理です。逆に、相手を嫌いになると、その相手もあなたのことを嫌いになります。相手を不幸にすると、自分も必ず不幸になります。

さあ、そこで思い出していただきたいのが、本書で述べてきた「プラス思考」、すなわち相手のプラスだけを見てマイナスを見ないという姿勢です。

人間には、必ず長所と短所があります。その割合はともかく、必ず両方あります。しかし、対人折衝のプロは、マイナス面は見ないのです。短所を除けば、残るのは長所ばかり。だれをも好きになれるのです。

デキの悪い部下がいても、「このバカが……」と思わずに、「ほんとうはできるはずなんだ。いままでいい指導者に恵まれなかったのだろう。よしっ、自分が助けてやろう」と考える。

お客から手ひどい抵抗を受けても、「このわからず屋が」と思わずに、「この人はきっと慎重な人なのだ。よしっ、自分の腕の見せどころだ。背中を押してやろう」と考える。

こうした考え方を習慣にし、どんな相手をも「好き！」と思えるようになれば、あなたは必ずや対人折衝のプロになれるでしょう。

このように、まずは自分のことよりも、相手の幸福のために話し、ふるまうこと。それを私は「愛対意識」と呼んでいます。

テクニックに限界はあっても、相手のことを思う「愛対意識」に限界はありません。

「愛対意識」のない営業に客がつくことはありえない

「愛対意識」の大切さを実感していただける例をご紹介しましょう。

あるとき私はぶらりと喫茶店に入りました。はじめて入る店です。

扉を開けると、店内は薄暗くお客が一人もいません。カウンターの中にはマスターがいるにはいるが、「いらっしゃいませ」の一言もない。じろっとこちらを見るだけ、とてもイヤな感じです。

どうしようかと思いましたが、ここで出ていくのも気の毒かと思いコーヒーを注文しました。私はカウンターに頬杖《ほおづえ》をついて待っていましたが、ふとカウンターの中を見ると小型のテレビが置いてある。そういえばこの時間はプロ野球がやっているなと思い、私はチャンネルを変えていいですかとマスターに聞いてみました。

そうしたら、マスターは何と言ったと思いますか？

「チャンネル権は私にあります」

真顔で、ちょっと怒ったように言うんです。

いらっしゃいませのあいさつもない。カウンターに座った客に話しかけもしない。自分は見たいテレビを見ているだけ。いったいこの喫茶店はだれのために経営しているのでしょう。そのコーヒーはだれのためにに入れているのでしょう。

お客のためですよね。

お客に、ああ、ここは雰囲気がいい喫茶店だ、おいしいコーヒーだと喜んでいただくことがマスターの仕事だし、その結果としてリピーターが生まれ、売り上げも増えて自分も幸せになるのでしょう。逆にお客が不快な思いをすれば、二度とその店に来ることはなく、結果として商売が成り立たなくなります。簡単な道理です。

だから何度もいうように〝ものは順番〟、自分がいちばんかわいいからこそ、まずは相手をハッピーにしてあげなければならないのです。

この簡単なギブアンドテイクの法則が、このマスターはまるでわかっていない……。

私はコーヒーができるのも待たず、お金を払ってその店をあとにしました。

自分のために売るのは邪道、やましさがないから自信をもって営業できる

くり返しますが、世の中のすべての原則はギブアンドテイクです。自分の幸せ、自分の利益だけを求めても幸せにはなれません。自分の幸せはあくまで結果——相手を幸せにしてあげた、相手のお役に立った、その結果が自分のハッピーなのです。

だからモノを売る場合も、「どう言ったら売れるかな〜」などという愚かなことは考えなさるな。売れるか、売れないか、そんなふうに自分のことばかり考えていては売れるものも売れなくなります。

第一、そんな営業は卑屈じゃないですか。卑しいじゃないですか。自分のために売りつけようなんてやましい、うしろめたい気持ちがあったら、お客にモノを売るのもつらくなるでしょう。

営業活動中、私が考えるのはただ一つ〝相手〟のこと。

この商品をすすめてあげたら相手にどういうメリットがあるか、相手にどんな幸せ

をもたらすか、頭をフル回転させてただそれだけを考えて、ただそれだけを訴えるのです。

私は営業に行くとき、万に一つも私利私欲にとらわれることのないようにと、自分に言い聞かせます。

だから私はお客に少しぐらい抵抗されてもヘッチャラ。いま忙しいですから、うちはいいですからと言われてもびくともしない。自分のためではなく相手のために来たのだから、堂々と切り返すことができるのです。自分のために売ろうとするのは、動機が不純、邪道です。

「愛対意識」があれば部下の指導もうまくいく

私は現役時代、十七社会社を変わりましたが、どの会社でも二か月と平社員をしたことはありません。すぐに部下がつき、新人だろうが、落ちこぼれだろうが、私が指導したチームはすぐに売り上げトップになります。私の個人的な売り上げが一番であったことより、部下の売り上げが一番だったことが、私の死ぬまでの自慢です。

部下の成績が上がった理由として思い当たるものの一つとして、この「愛対意識」があります。私は自分のバックマージンが上がるとか、面子《メンツ》とか、自分が出世するために指導するんじゃないんです。何かの縁で私の部下になったこいつらを一人前にしてやろう。何の打算もなくそう思います。

だからいっしょについていって実際に売って見せて、オーダーはすべて部下の名前にする。とにかく売らせようと怒鳴る、威張る、見下す。そんなことをしたらたちまち部下は不幸になります。

部下のことを考えて一心同体となり指導すれば、部下は「ほんとうに自分たちのことを裏表なく考えてくれている」と信じてくれます。やがて部下たちの隠された能力が開花して、終わってみたらトップになる。結果として、私自身の評価も上がります。

部下を指導する立場にある方は、ものは順番。まずは自分のことよりも、部下のことを思いやる、考えてあげる。かくして、部下が奮い立ち、結果として業績も上がり、上司も評価されてお互いの幸せとなる。

なんで、こんな簡単な理屈がわからないのでしょう……。

何のことはない。自分のことを第一義に考える人は信頼を失い、相手のことを第一義に考えれば幸福を得る。ただそれだけのことです。

(2) 当然意識

「当然意識」を会得した者がスーパースターになれる

私は現役時代から、そしてその後、のべ三万人以上に教えてきたセールス教育のなかで、数え切れないほどのプロを、スーパースターをつくってきました。

私の申し上げますスーパースターの定義とは、どのくらい売る営業マンなのでしょうか。どんな業界でも、一部上場、大手中小零細、業種のいかんにかかわらず、お客と会ったうちの二割、ないし三割の方に売れたら、おそらくその人はその業界トップの営業マンでしょう。でも私が申し上げますスーパースターとは、そんなものではありません。十人中二、三人ではなくて、最低でも七人以上に売る——それが私のいうスーパースターの定義です。十人と話して初対面即決で七、八、九人から契約がとれたら、おそらくだれもが最敬礼、スーパースターとあがめるでしょう。

そのスーパースターたちに共通しているのが、何を隠しましょう、いまから申し上げます「当然意識」が徹底していることです。教えたのは私ですが、私以上にその意識をもっている者もいます。会得した教え子はもれなくスーパースターになっている——そういっても過言ではありません。

世にも恐ろしい極意、「当然意識」。何ゆえ世にも恐ろしいのか、それは相手がだれであれ、会った瞬間からあなたの意のままになるからです。

その極意(2)、「当然意識」をいまからご紹介しましょう。

目的のあることは当然のごとく話し、ふるまえ

どんなときであれ、何か行動を起こすからには、失敗するよりも成功したほうがいいですよね。同僚を飲みに誘うとき、上司に借金を申し込むとき、お客に商品をすすめようとするとき——どのようなケースであっても、相手に断られるよりはイエスと言ってもらったほうがいいはずです。

だったら、「飲みに行きませんか?」とたずねてはいけません。

「飲みに行きましょう！」と言うのです。

質問されると、人はどうしようか考えます。ある人はイエスと言ってくれるかもしれませんが、ある人はノーと言って断りますね。

「こうしたい」という目的があることについては、相手がそうして当然だという意識で話し、ふるまうのです。そうすれば相手は自分の意のままに動きます。

「そんなバカな」と思われますか？

しかし、これが人間の心理なのです。

人は必ず「暗示」によってのみ行動する

前述しましたが、人が納得するのは自分が体験したことだけです。いくら他人に「いい商品だよ」と言われても、実際に自分で使ってみるまでは心から納得することはありえません。誘われて飲みに行くことだって、納得をしたからそうするのではありません。

人に何かを決断させるのは、すべからく「暗示」です。

飲みに行こうと誘われて承諾するのは「行ったら楽しそうだ」と暗示にかかっているからであり、商品を買おうと決断するのは「よさそうな商品だ」と思って暗示にかかっているからです。暗示にかかったときのみ行動を起こすというわけです。

当然のごとく話し、ふるまうことで、相手にも「それが当然だ」と暗示にかける。それが「当然意識」の正体なのです。

大切なポイントですから、もう少し詳しくご説明します。

「飲みに行きませんか？」は相手へのクエスチョンですね。なぜクエスチョンになるかといえば、誘ったほうも自信がないからで、いわば不安のあらわれです。

商品をすすめるときも同じです。「この白いお洋服はいかがでしょうか？」と聞くのは、自信がないからでしょう。そんなふうに聞かれたら、お客だって迷ってしまう。似合うのかな、似合わないのかな、ほかの色の服も着てみようかなと悩んでしまいます。店員がほんとうにこの洋服がバッチリだと思うなら「いかがでしょうか？」とはなりません。

「うわーっ、この白がお似合いですね！　すごくいいですよ！」

こう当然のごとくはっきりとすすめられたら、お客だって「あらそう？」と暗示にかかります。

飲みに誘うときも「いい店があるから行きましょう！」と断言すれば、相手も「なんだか楽しそうだな」と、その気になります。最初は半信半疑でも、こうして何回もすすめたら、そういう可能性もあるかと、そのうち暗示にかかります。

自信なさげに「飲みに行きませんか？」と切り出していては、絶対にこうはなりません。

こんなことがありました。ちょっと近所まで履いて歩くのに便利な、革の軽い靴を買いに行ったときのことです。何時間も歩き回って、希望どおりの靴が見つかったのですが、履いてみたら小さい。大きいサイズを探してもらったけど在庫がなかった。接客してくれた店員は、自信なさげに「まあ広がってくると思いますけども」と言う。

私は迷っていました。すると、こちらに背を向けて靴の整理をしていた太ったおばさんが振り向きざまに言った。「大丈夫、その革はやわらかいから、すぐにかぱかぱになる」と。

私はすぐに包んでもらいました。ここまで当然のように断言してくれたら、買わずにはいられませんでした。

これが、「当然意識」です。

ちなみにこのただものではないおばさんは、この靴屋の店主でした。

品よく、さりげなく断定すれば相手は「暗示」にかかる

相手を意のままにあやつるということは、表現を変えれば、相手に否定させない、断らせないということです。「当然意識」で行動すれば、何らむずかしいことではありません。

身近な例で解説しましょう。

あなたが一家の主婦だとします。夕飯の買い物に行ったはいいが、うっかり豆腐を買い忘れてしまった。晩の献立にはどうしても豆腐が必要だ。だから子どもに買いに行かせよう。

そんなとき、あなたなら子どもにどう頼みますか？

「ちょっと○○ちゃん、お豆腐買ってきてくれる？」

だいたいの人はこんなふうに切り出しますね。そうして即座に「やだっ！」と断られてしまいます。そりゃそうでしょう。子どもにだってそれぞれの都合があり、「いまテレビを見ているから」「あしたテストで忙しいから」など、断る口実はいくらでもあるのです。私ならこうします。


「○○、ちょっとおいで。あのね、お金渡しとくからね（と千円札を握らせる）、そこの角を曲がったらお豆腐屋さんがあるでしょう。そこへ行って、きょうはお鍋《なべ》だから木綿豆腐を二丁買ってきて――覚えた？」

「ウン」（子どもはそう返事をせざるをえませんね）

「何豆腐って言った？」

「木綿豆腐……」

「そうっ、木綿豆腐。かたいお豆腐ね。それを何丁？」

「二丁……」

「そうっ、お豆腐屋さんに木綿豆腐を二丁って言うんよ。忘れんね？」

「ウン」

「じゃあ、お金を落とさんようにね」

どうですか。これは断れないでしょう。子どもはけっして納得はしていないけれど、おとなしく豆腐を買いに行ってくれます。

ポイントは二つあります。まず、最初に「買ってきて」と断定すること。けっして「買ってきてくれる?」などと聞いて、相手に選択権を与えてはいけません。木綿豆腐を二丁買ってくることが当然のことであると断定し、その前提で具体的に話を進めていくのです。

もう一つは、あくまで品よく、さりげなく断定すること。「おい、買ってこい!」と、威張って言うのは「当然意識」の履き違え。これでは相手も反発して暗示にかかりません。**命令ではなく、さりげな〜く断定するのです。**

「当然意識」で〝立ち話〟を回避する

さて、この「当然意識」を営業の現場で使うとどうなるか。

恐ろしいことが起こりますよ。
だって、お客はこちらの意のままに動くのですから……。

たとえば私はこれまでに、営業、とくに訪問販売の営業はアプローチが命だと説いてきました。経験のある営業マンならだれしも、お客に玄関を開けさせ、客宅に上がることがいかにむずかしいことか、よくご存じでしょう。

しかし私なら、お客に会ってから玄関先に座り込むまでものの一分もかかりません。

これも「当然意識」のなせるわざです。

営業マンは絶対に立ち話をしてはいけません。いかなる状況であっても座って話すのが鉄則です。「なるべく立ち話をしない」のではなく、「絶対に立ち話をしない」のです。

一般家庭なら〝上がりかまち〟に、オフィスや商店であれば椅子に、必ず腰かけてから商談を始めましょう。

同じ人が同じことをしゃべっても、立って話すのと座って話すのでは、決まる確率は天と地ほど違います。どんなお客だって、立ったまま三十分も一時間も話を聞くことはできません。すぐに疲れてイヤになり、「じゃあカタログだけ置いていってください」と簡単に断ります。

だから営業マンは絶対に座って話し、できることなら座敷やオフィスの中まで上がらなければなりません。家やオフィスの中に入ることができれば、もう決まったも同然です。

自然にふるまってお客から「許可」をとれ

では、営業マンは具体的にどうふるまえばよいか。

まずはインターフォンを突破する――その方法は第2章でご説明しましたね。「玄関を開けて当然」という意識で行動すれば、お客は必ず扉を開きます。

そうしたら次に、営業マンは〝上がりかまち〟に座り込みます。

「奥さん、失礼ですがこういう事実をご存じでしょうか。実は小学校三年生からこういう授業が始まるのですが……」

などと言い、資料を出すと同時に座ってしまいましょう。営業マンが鞄《かばん》から何かを取り出そうとすれば、お客は手元に目がいきます。その隙《すき》にサッと座り込む。座るのが当然〜という前提でいかにも自然にふるまえば、これをとがめるお客はいません。

座敷に上がるにはどうするか。

「ごめんくださーい！　私、◯◯社と申します」と声をかける。奥から「はーい」と返事がくるが、声はすれども相手はなかなか出てこない。よくあることですね。

そうしたら、「あっ、ご主人、ちょおーっと失礼させていただきます」と言って靴を脱いで上がり込もうとする——まだ上がり込んではいけませんよ。勝手に上がったらお客は怒ります。「ちょおーっと失礼します」とさりげなく断定して、上がり込むという動作に移ろうとするのです。

そうすればかなりの確率で、お客はつられて「どうぞ」と言います。

お客の許可が出たのですから、もう営業マンは堂々と上がってもいいわけです。

お客の抵抗は「気にせんでください！」と断定すべし

「当然意識」はお客の抵抗を封じる際にも有効です。前述のように抵抗の切り返し方にもさまざまなテクニックがありますが、根底にあるのはやはり「当然意識」です。

たとえば住宅営業では、本命の物件を最初に案内することはありません。マンションであれば、最初は手狭な二階の部屋、次は3LDKの五階の部屋、それでも決まらなければ眺望抜群の最上階……というぐあいに、格下の部屋から順に見せていきます。見るたびにモノがよくなっていくのですから、最初の物件でガッカリしたお客も徐々にその気になっていくという仕掛けですね。三十点より五十点。五十点より七十点がいい。世の中の判断基準は、みな何かとの比較ですから、何かと比べてよりよいほうを選びたくなるのが人間の心理です。

ただし当然ながらこんな抵抗が出てくるでしょう。

「いいとは思うけど、さっき見た五階の部屋よりお高いんでしょう？」

この場合はどう切り返せばいいか。

「気にせんでください！　そう変わらんですよ」
こうやって瞬時に打ち消すのです。

実際は何百万、何千万と違うんですよ。でも月々の支払額にすれば微々たるものであると断定すれば、お客もそんなものかと暗示にかかります。

だから、「真横に線路があるんですね」「駅からずいぶん遠いですよね」「ここの変な段差が気になるなあ」……など、何を言われようとも「細かいことは気にせんでください、三日もすれば慣れますから！」と当然のように打ち消せば、抵抗は一瞬でなくなります。

「当然意識」でふるまえば契約締結も思いのまま

このように、さまざまな場面で威力を発揮する「当然意識」ですが、極めつきは営業のクライマックス、すなわち契約締結の局面です。

いうまでもないことですが、お客が契約書にサインをしなければ契約は成り立ちません。商品名や日付なら営業マンが記入してもいいけれど、名前だけはお客自身に書かせなければなりません。ここは営業マンにとって最後の難関です。

とくに「加賀田式セールス」の真骨頂は〝即決営業〟、つまり客宅に何度も足を運び、考えに考えぬいてもらったうえで契約を交わすのではなく、会ったその日にその場で契約を交わすスタイルですから、お客もそう簡単にはサインをしません。後悔しないだろうか、だれかに相談したほうがいいのではないかと、お客はパニックに陥っているのが普通です。

そんなお客にもその場でサインをさせる。

何百万、何千万の買い物でもその場で決めさせる。それが「当然意識」の恐ろしさです。

実演してみましょう。

アプローチからセオリーどおり順番に進め、商品説明が終わった場面です。相手はこちらの問いかけに「ふん」とか「まあ」とか返事はしても、まだ買うとも何とも言っていません。そんなお客の目の前に契約書を差し出します。

「じゃあご主人、ここにお名前、書いてもらえますか」

はい、これはダメな例。こんなふうに言われたら、お客は「なんでですか」と抵抗します。「書いてもらえますか」と聞かれたら「書きたくありません」と答えます。

ではこの場面、どうふるまうのか。

「じゃあご主人、これっ」

まずはこう言って相手の利き手の前にさりげなくペンを差し出します。すると、相手はどんなにこちらを警戒していようとも、反射的にペンを受け取ります。私が握らせるのではない。お客が自分の意思で握るのです。

「七枚複写となっておりますので〝強め〟でお願いします。こちらは北区でございましたよね」

「ハイ」

「では、恐れ入ります、北区と、まず北区から……」

こんなふうに言って住所を書く欄を指さし、のぞき込みます。

住所を書くのが当然という意識ですから、「住所を書く」という行動に移ろうとするのです。

するとどうなるか。

信じられないかもしれませんが、そうなったらもう、お客は書くんです。手が勝手に動くんです。

断れないんです。

営業マンが言うがままに住所を書いて、名前を書いて、サインをして……。

契約完了です。

(3) 不諦意識

最後の切り札——「不諦意識」

世の中のたいていのことは、いま申し上げた「愛対意識」と「当然意識」があればあなたの意のままになるでしょう。商品も売れるでしょう。

しかし、それはあくまでも「たいていのこと」であって、その二つだけではどうしても決まらない場合があります。どうしても一日だけ待ってほしいとか、ほんとうにお金がないとか、私だけでは決められないとか、頑強な抵抗にあうことがあります。

相手は落ちない、売れない。そういうときの最後の切り札が、いまから申し上げる「不諦《ふてい》意識」です。

「不諦意識」とは何か、字のごとく、あきらめない意識。言葉にすれば簡単ですね。だが、みなさんは〝あきらめない〟というのがどういうことか、おそらくわかっているようでわかっていない。

あきらめないとはどういうことなのか。いままで思っていた、何となくわかっているような〝あきらめない〟ことなのか、それ以上に深い意味があることなのか——。

いまから最後の極意「不諦意識」をご紹介いたしましょう。

何も売らずに帰ることこそ無礼千万と思え

世の中のほとんどの方は常識人です。常識にとらわれて生きています。だから、お客に抵抗されると常識的にこう考えてしまう。

「これ以上すすめては失礼だ」
「これ以上すすめることのほうに無理がある」
「ご主人に相談したいという気持ちはもっともだ」
「お金がない人に売るのは気の毒だ」

一般常識で考えれば、たしかにそうかもしれません。だからみんな、「きょうはこれ以上すすめないほうがいいだろう」「きょうは気持ちよく帰って出直そう」と考える。けれどもそれは自分への言い訳です。

あきらめるための言い逃れです。

いいですか、常識なんてクソクラエです。

思い出してください。あなたは営業マンです。

「営業とは、自分がよいと信じた物を相手のために断りきれない状態にして売ってあげる誘導の芸術である」でしたね。

あなたはお客のためによかれと思って訪問し、十分なり三十分なり一時間なり、お客に時間を割いてもらってここまできたのでしょう。ならば、何も与えずに帰るなんて無礼千万、これ以上の非礼はありません。

自分はお客のために来たんだ。何があってもおすすめしてあげるんだ。その強い意志をもって最後まですすめとおして売ってあげれば相手も感動します。途中でお客が迷ったとしても、商品を使ってみれば大なり小なり役に立つのですから、最後は必ず喜んでいただけます。

ところが中途半端にあきらめて帰ってしまったらどうか。お客には何も残らないどころか、「この忙しいのに、何をしに来たんだ！」となってしまいます。迷惑以外の何ものでもありません。

すんなりとあきらめることは営業マンにとってけっして善ではありません。

その証拠に、営業マンがあきらめて帰る姿を見て、「おお、いまの営業マンは実に帰り際が見事であった」とほめる人はだれもいないのです。

お客の立場になって考えてみたって、中途半端な気持ちですすめられるのは不快にちがいありません。

たとえばあなたがパーティに招待されたとして、「よかったらお越しください」なんて言われたらちょっとがっかりしませんか？

それは「気が向いたら来てくれ」という程度の誘いであって、それほど来てほしいわけでもないというニュアンスです。そんなもの、だれが行くものかと思ってしまうでしょう。

「お忙しいとは思いますが、みんな待っていますからぜひお越しください！」

誘うならそんなふうに、「絶対に来てほしい」という気持ちで誘うべきです。一度くらい断られても、「そうおっしゃらずにぜひ」とすすめとおすべきです。それならあなたも悪い気はしないから、時間をつくってでも行こうという気になりますよね。

営業も同じです。

言ったら言いとおす。すすめたらすすめとおす。

それが営業マンの礼儀、責任です。

どうでもいい話なら最初からしなさるな。

あきらめるのは、あきらめないと決めていないから

そもそも、なぜ多くの営業マンはすぐにあきらめてしまうのでしょうか。

それは、あきらめないと〝決めていない〟からです。だから、お客に抵抗されたらすぐに「これ以上は逆効果だ」などと口実を設けて、自分を正当化してあきらめるのです。

私の場合はどうか。

私は大事なこと、目的のあることはけっしてあきらめないと決めています。何があっても途中であきらめません。もう決めていることですから、お客に何を言われてもびくともしません。

するとどうなるかというと、私があきらめないから、お客があきらめます。お客のほうが、「そこまで言うのなら〝いいモノ〟かもしれないから買ってみよう」と自分に口実を設けてあきらめます。

この違い、おわかりになりますか？

普通の営業マンは、あきらめないと決めていないから、抵抗されたら自分で言い訳

を考えてあきらめる。私の場合は、私があきらめないと決めているから、お客が言い訳を考えてあきらめるのです。

当然です。お客は「何が何でも断りつづける」と心に決めているわけではないのですから、「不諦意識」をもつ私が負けるはずがありません。決めていない人は、決めている人に絶対に勝てません。

営業マンが簡単にあきらめてしまう理由は、実はもう一つあります。

みんな、あきらめることが習慣になってしまっているのです。

いつものごとく断られ、いつものごとくあきらめているから、それに対してとくに疑問を感じなくなっている。

相手にお金がなかったんだからしかたがない、きょうはいい客に出会えなかったからしかたがないと、すぐにあきらめて自己弁護しながら自分をなぐさめることに慣れきっているのです。

私はあきらめません。

なぜあきらめないのか。それはきっと私が臆病《おくびょう》だからでしょう。

私は一回でも断られたらものすごくショックを受けます。築くのに百年かかったものが崩壊するときは一瞬であるように、一回でも断られてしまったら、私はいままでの自信を一瞬でなくしてしまいます。落ち込んでフィーリングが狂い、次の訪問先でも、その次の訪問先でも失敗してしまうかもしれません。

だから私は一軒たりとも断られたくない。断られることに対する恐怖心があるからこそ、絶対にあきらめないと心に決めて最善を尽くすのです。だから最後まですすめとおすのです。

「あなたの熱心さには負けた」

営業マンがあきらめる口実のなかでもっとも多いのが、「これ以上言ったら嫌われるのではないか」「しつこいと思われるのではないか」というものです。心当たりのある方も多いのではないでしょうか。

けれども、営業マンはそんな心配をする必要はありません。

考えてみてください。お客がもし営業マンをほめるとしたら、何と言ってほめるでしょうか。

あなた口が上手ね？　あなたハンサムね？――違いますよね。

「あなたの熱心さには負けた」
これがいちばん多いんです。

人間は感情の動物です。一生懸命にすすめてくれたら、普通の人はその熱心さにほだされるのです。心が動くのです。使ってみようと思うのです。人は熱心な人に弱いのです。

部下に「当然意識」と「不諦意識」の恐ろしさを見せてやる！　と同行したときのことです。飛び込んだお宅は内職でもしているのか、明らかに殺気立って忙しそう。「ごめんくださーい」と言っても出てきません。普通なら出直す場面ですが、部下の手前もあり、帰ることができませんでした。私はもう一度「ごめんくださーい」と言いました。すると、玄関の壁のほうから、かすかに「はーい」という声が聞こえる。もう一度「ごめんくださーい」と言えども出てこない。「いま忙しい」のみ聞こえるだけ。四つんばいになって上がり込み、壁の向こうで奥さんが何をしているのかのぞき込みました。玄関の隣は裁縫室になっていて、それがお仕事なのでしょう、道具が転がっているなかで、よほど時間に追われていたのか、振り向きもせずに裁縫をしていました。

私はいつものごとく「ちょーっと失礼します」と上がり込んで説明を始めましたが、何を言っても忙しい、すみません、けっこうです、の一点張り。それでも私は帰らない。やがて、怒ったように「買えばいいんでしょ、買えば！」と振り向きもせずに言われてしまいました。こんなふうに言われたのは後にも先にもはじめてのこと。押し売りでもしたようで、後味の悪いいやーな契約でした。

会社に帰ると先ほどのお客から電話が入ってきました。どきっ。まちがいなくキャンセルの電話だろうと受話器を取りましたら——あにはからんや、「先ほどは失礼いたしました。あなたさまがお帰りになってから主人が帰宅しましたのでその旨話しましたら、あっぱれだ、それでこそ営業マンだ、ぜひ加賀田さんに会いたいと申しております。ぜひまたお立ち寄りください。いずれにしても忙しかったとはいえきちんと話も聞かずに失礼しました。いいモノを売っていただいてありがとうございます」

と、こう言われたのです。自分では後味が悪い契約だったけれども、結果としてこの言葉で救われ、私の名誉は守られた。

――私の名誉とは何か。私は生まれてこのかた一度も、加賀田は感じが悪かった、押し売りされた、という苦情を受けたことはありません。私は押し売りをしない。この名誉が奥さんの一言で救われた……。あきらめなかった、熱心だったと感動してもらえたのですから。

この例はちょっと極端だったかもしれませんね。お断りしておきますが、「しつこい」と「熱心」はまったくの別物です。

自分のために売ろうとして、ああ言えばこう言う、こう言えばああ言うのは、たしかにしつこい。それは押し売りであり、こじつけの論理であり、嫌われて当然です。

そうではなく、相手のことを思うがためにすすめとおすなら、どれだけ時間がかかったとしても、それは「熱心だ」と評価され、必ずやお客の心を動かすことができるでしょう。

モノを売るのはすべて相手の幸福のため

最後に一つ、「不諦意識」にまつわるエピソードをご紹介します。

私が、北海道の原野を現地も見せずに即決で売るという、すさまじい商売に従事していたときの話です。

正直に告白しますと、これはあまりまっとうなビジネスではありません。けれどもこういう会社は社員にも芝居を打ちます。この原野の付近を鉄道が通る予定だ、そうなれば必ず土地の値段が上がると、それらしい資料を用意して営業マンに配るのです。若かった私はそれをうのみにし、原野を売ることがお客の利益になると信じて売りまくっていました。

その会社で、私がはじめて契約をとったときのことです。

訪れたのは木造の古いアパートでした。とても裕福な家には見えませんでしたが、私は例の調子でトントントンと話を進め、契約書にサインをもらいました。

昼間の訪問ですから、家にいるのは奥さんだけでした。普通の営業マンはまず奥さんにアプローチし、脈ありと踏んだら夜に出直してご主人と話をするものですが、私はそんなムダな手順は踏みません。

奥さんが「主人に相談したい」と言ったとしても、「男というのはお金があるとわかったらアテにしますから、ご主人にはナイショにしておいたほうがいいですよ」と切り返して、その場で売ってしまうという方法をとりました。

さて、このビジネスが凄絶《せいぜつ》なのは、その場で契約書にサインさせるだけではなく、営業マンが通帳と印鑑を預かって、その日のうちに銀行から金を引き出すという点にあります。私も会社から教えられたとおり、奥さんから定期証書と印鑑を受け取って、「この証書の解約手続きを加賀田晃殿に委任いたします」という委任状を携え、すぐさま銀行へと向かいました。

ところが途中で道に迷ってしまい、銀行に着いたのは午後三時すぎ。とうに窓口は閉まっていて解約手続きができません。しかたがなく、あくる日の朝一番に出直しました。ここでトラブルが発生しました。

二十代なかばの若造が、他人の定期証書を解約しに来たことを銀行員があやしんで、契約者の家に電話を入れたのです。

むろん私には何らやましいことはありません。正規の手順を踏んで契約を交わしたのだし、きちんと領収証も切ってきました。証書も印鑑も本物です。

ところが銀行員からの電話に出たのは奥さんではなくご主人でした。

自分に相談もなく妻が北海道の土地を買っていた。

それを知ったときのご主人の怒りようはものすごいものでした。

「何が土地じゃあーッ！　女房をたぶらかして、何が土地じゃ、何が解約じゃっ！　いますぐに証書と印鑑を持ってこぉーいッ！」

銀行で電話を代わったときの第一声です。

こうなっては定期の解約どころではありません。私は定期証書と印鑑を手に、契約者のお宅へ戻りました。

ご主人は玄関先で私を待ちかまえていました。

見れば顔面蒼白《そうはく》、憤怒《ふんぬ》のあまり体中が痙攣《けいれん》しています。そして私の顔を見るなり、扉を閉めるのも忘れて、アパート中に響き渡るような大声でウワーーーッとののしりはじめました。怒って怒って怒りまくっているのです。

私は黙って聞いていました。興奮している相手には何を言っても火に油を注ぐようなもの。沈黙を守り、ご主人の興奮が収まるのをジーッと待っていました。

するとご主人も言うことがなくなってきたのか、ふっと静かになった。そのとき奥さんが家の中から出てきました。

……絶句しました。

ご主人にしこたま殴られたのでしょう。顔は人相もわからないほど腫《は》れあがり、唇はめくり返り、あちこちに血がにじんでいる。きのうはたしかに普通の女性だったのが、きょうは四谷怪談の〝お岩さん〟になっていたのです。

その奥さんが、「あなた、近所の手前もあるから奥で話して……」と言ってくれた。それでようやく私は家に上がることができました。

座敷に上がれば上がったで、ご主人はまた興奮がよみがえってウワーーーッと私をののしります。私は神妙に押し黙っている。しばらくするとまた相手の興奮が収まり、静かになりました。

さあ、私の出番です。

お忘れかもしれませんが、このエピソードは私の〝初契約〟です。お客を怒らせ、断られたという話ではありません。

興奮がしずまったご主人に向かって、私は言いました。

「ご主人。こんなことを言ったら、ご主人は私をどつくかもしれません。でもご主人、言いたかないですが、私は六人兄弟の長男です。おやじは私が物心ついたときから死んでおりませんでした。おふくろは心臓弁膜症、ぜんそくで寝たきりでした。私は長男ですから朝早くから起きて道なき道を登り、山に行っては柴を刈り、海へ行ってはシジミを捕って、それを売りながらどうにか弟や妹だけは中学校だけは出しました。お金のありがたさ、ないときのみじめさ、人一倍知っております！」

私はご主人以上の大声で熱く語ります。今度は私が大興奮してしゃべる番。ご主人も奥さんも真剣な表情で黙って聞いています。

「ですからご主人！　この土地、子どもさんの将来のためにということで、きのうは奥さまお一人でございましたから、お一人分の五十坪をご契約いただきました。きょうはご主人もいらっしゃいますんで、お二人分なさってあげてください！　お二人分で百坪、名義はご主人と奥さん、どちらがよろしいでしょうか？」

……こう真剣に話すと、ご主人は「おれ～」と答えてくれましたよ。

怒らせてキャンセルどころか、ご主人からもう一件契約をとり、五十坪を百坪に増やして帰ってきたのです。

なぜそんなことができたのか――。

最初ご主人は私に対して怒りくるっていました。私はこの場で殴られるのではないかと、身の危険を感じるほどでした。普通の営業マンなら証書と印鑑を放り出して逃げようかと思うことでしょう。

しかし〝お岩さん〟になった奥さんを見た瞬間に考えたのです。

ここで預かった証書と印鑑を返し、契約をキャンセルにしてしまったら、奥さんは一生負い目を感じることになってしまう。一生ご主人に頭が上がらなくなってしまう。それはあまりに気の毒です。

このまま帰るわけにはいかない。

奥さんのためにも、自分が奥さんの名誉を挽回《ばんかい》しなければならない！

そう考えたからこそ、私はご主人にも「売ってあげた」のです。

自分の売り上げがどうとか、そんな不純な気持ちは誓ってありませんでした。お客のために、お客のことを思って「売ってあげた」のです。

人間は習慣の奴隷である

お客のことを第一に考え、ゆるぎない態度でふるまい、頑強な抵抗にあってもけっしてあきらめない——。すなわち「愛対意識」「当然意識」「不諦意識」、これらの三つの極意を会得すれば、世の中に売れないものなどありません。あなたもぜひこれらを習慣づけてください。そうすれば、スーパースターへの道のりも近いはずです。

これらの三つの極意に「意識」がついているのは、ふだんから意識に刻み込んで、徹底したいものだからです。

人間は習慣の奴隷です。

私たちは習慣の延長で生きています。

売れる人はそれが習慣になり、売れない人はそれが習慣になります。

日ごろから「愛対意識」「当然意識」「不諦意識」を習慣にしてしまえば、いざ営業というときも、何の抵抗もなく極意を発揮することができるでしょう。

そうはいっても、私とて人の子です。

頑強な抵抗にあえば、ときには心がくじけそうになることもあります。

いろいろなお客と一騎打ちの戦いを繰り広げるなかでは、もうこれ以上言ってもムダかもしれない、もう帰ろうかと思う場面は必ずあります。そんなとき私は、自分にこう言い聞かせ、思い込ませるのです。

「このままあきらめて帰ったらおれの命はない。家を出た瞬間におれは殺される」

だから、あと一分がんばろう、あと一分がんばろう、あと一分がんばろう……。

そのうち、相手があきらめる――。

おわりに

私はいま六十四歳になります。しかし、戸籍上の年齢や見た目の外見がどうであれ、私の精神は営業を始めた二十代のころとまったく変わっていないと自分では思っています。しかし私の意識に反して、体力の数値はまちがいなく下降を続けつつある――。

振り返ってみると、少年期は世の中で自分がいちばん不幸だと思うほど家が貧しく、親や学校の先生、社会などに反発心をつのらせていました。しかしいまにして思えば、その後営業という天職を与えられ、今日まで有意義な人生を送ってこられたのは、すべて、そのときは地獄だと思っていた貧乏のおかげでした。貧乏が、私に不屈の精神力を与え、成功願望を植えつけ、やがては漫画の本や映画から宝の山となるヒントを抽出させ、そして極めつきは図書館で読んだ〝読心術〟だった。

この本が発火点となり、成功者のハウツーもの、そして本格的な〝心理学〟を勉強したことが、私の人生を決定づけることとなったのです――。

なんと営業を始めた初日から、九軒飛び込んで九軒に売るという好発進となり、その後の長い営業人生で、売れなかったのは、つまり〝ゼロ〟だったのは一日だけで、あとはほとんどの日が、ほとんどの月がパーフェクトという夢物語となりました。

本にしませんか、ビデオにしませんか、映画にしませんか、というお話はセールス教育を始めた一年目からいただいていましたが、そのころは関心もなく、また気恥ずかしくもあり、「する」とも「せん」ともご返事しませんでした。

しかし、いやがおうにも迫り来る人生の日没を前に、いままでの人生への恩返しと、営業を極めんとする人たちへの、最後の置き土産《みやげ》と思いこの本を書きました。

読み直してみると、出来栄えはいまひとつ、いまふたつのところもあり、またまた気恥ずかしく自省するばかりですが、それでも何度かお読みいただいて、ご自分に当てはまるところを、そのとおり実行いただけるなら、あなたの目の前の霧はたちまち消えうせ、その視界に、あなたを中心にして展開される下剋上《げこくじょう》の世界を見ることとなるでしょう――。

遠い空より、グッドラック！

加賀田　晃（かがた・あきら）

1946年、和歌山県生まれ。営業セミナー講師。

小学校4年生から新聞配達を始める。出会う人すべてに新聞の勧誘をしたことが、のちの「加賀田式セールス」の基礎となる。

23歳から営業の世界に入り、初日からノーミスで契約をとりつづける。不動産、学習図書など17社で営業を経験し、そのすべてでトップを記録、驚異の「契約率99％」を誇った。もっとも長い期間では、学習図書の飛び込み営業で約1年間パーフェクト（契約率100％）の記録を樹立した。

1985年より「加賀田式セールス」研修を開始。これまでのべ800社以上、3万人以上の受講者にそのノウハウを伝授し、数多くの営業のスーパースターを育て上げてきた。研修を受けた企業の売り上げは軽く倍増、なかには一気に10倍になった企業もある。驚異的な伝説の数々に、いつしか「営業の神様」と呼ばれるようになる。

＜加賀田式セールス学校＞がネット上で開校
加賀田晃の迫力あふれる動画や音声が体験できる、無料メール授業で加賀田式セールスを伝授します。
http://www.kagataakira.com/

営業マンは「お願い」するな！

2011年 2月25日　初 版 発 行
2025年 5月20日　第45刷発行

著　者　加賀田　晃
発行人　黒川精一
発行所　株式会社サンマーク出版
東京都新宿区北新宿2-21-1
電話03-5348-7800
印　刷　共同印刷株式会社
製　本　株式会社若林製本工場

ISBN978-4-7631-3116-4　C0030

ホームページ　https://www.sunmark.co.jp